【佛学入门四书】

白圣大师 ◎ 著

学禅方便谭

人民东方出版传媒
東方出版社

《姨母育佛图》　元·王振鹏

（美国波士顿美术博物馆藏）

初祖摩诃迦葉尊者

禅宗初祖摩诃迦叶尊者

　　宋·释普济《五灯会元·七佛·释迦牟尼佛》中记载："世尊在灵山会上，拈花示众，是时众皆默然，唯迦叶尊者破颜微笑。"世尊曰："吾有正法眼藏，涅槃妙心，实相无相，微妙法门，不立文字，教外别传，付嘱摩诃迦叶。"因此称摩诃迦叶为禅宗初祖。

《达摩面壁图》 范曾

　　摩诃迦叶为禅宗初祖，后来代代相传到二十八祖菩提达摩。达摩观震旦（中国）多大乘根器，乃来中土。据《传灯录》记载，达摩于梁武帝时来中国，因与武帝问答不契，遂至嵩山少林寺，面壁修行长达九年。后称其为中国禅宗初祖。

死

學道之人念念
不忘此字則道
業自成

釋印光書 時年八十

印光法师手迹

目　录

第三篇 宗教通说

引　言

　　禅宗一法，为佛教最上乘的一着子。学禅者识得这一着子，任你成佛作祖，无碍逍遥；不识这一着子，不免头出头没，没有了期。昔日迦叶头陀看见释迦老子在灵山会上，拈着一枝花，普示大众，当时无人领会，独他识得这一着子，报了个破颜微笑，释迦老子见了，深喜大事因缘至此有了交道，遂将教外别传的"正法眼藏"，双手奉赠，累得大迦叶不得不为西土禅宗的第一代祖师。

　　菩提达摩初来中国，为的是"直指人心，见性成佛"，所传也是这一着子。先到秣陵遇见梁武帝提示"廓然无圣"的第一义谛，遂将这一着子亲切拈出。惜梁武帝，执相昧性，不能体会，遂成当面错过，害得老达摩隐居嵩山，面壁九年之久，从此未再与聋盲的人通过消息。直到慧可二祖为明己躬大事，奋发向上，务要透过

1

这一着子，于是在达摩前，立雪断臂，并道出了"觅心了不可得"的消息。达摩至此才发现识得这一着子的人，遂将西来的大意，付托了慧可，然后只履西归，了却来此一段公案。由斯可见要想传此一着子，实大非易。

慧能六祖初在岭南售柴时，听客诵《金刚经》，早悟这一着子，所以后来在黄梅时，对五祖说："米熟久矣，犹欠筛在。"神秀大师不透这一着子，虽然说偈呈悟（身是菩提树，心如明镜台，时时勤拂拭，勿使惹尘埃），却不得五祖衣钵真传。临济禅师先未明白这一着子，苦挨黄檗三次痛棒，打得他昏天黑地，跑去找大愚和尚算账。经过大愚点了他一只眼，道出"黄檗老婆心切"，临济当下转过头来识得这一着子的去处，于是没命地还击了大愚一记饱拳，打得大愚人仰马翻，他才吐出了一股累劫的冤气。大家都知道灵云禅师是见着桃花开得茂盛而悟道，须知他悟的即是这一着子。他的悟道偈曰："三十年来寻剑客，几番落叶又抽枝，自从一见桃花后，直至如今更不疑。"又香严禅师闻着石头击竹之声而明心，须知他明的也是这一着子。他的明心偈曰："一击忘所知，更不假修持；动摇至古路，不坠悄然机。处处无踪迹，声色外威仪；诸方达道者，咸言上上机。"长水大师不明白《楞严经》上的"清净本然，云何忽生山河大地"的妙意，亲去参拜瑯琊禅师乞求指示，岂知瑯琊仍旧还了他个"清净本然，云何忽生山河大地?"长水聆听这一转语，当下桶底脱落，也发明了这一着子。

2

以上所举都是指明禅宗一法，或见色闻声而悟道，或一举一动而会心，直截了当，不沾泥水，机教相扣者，言下契证；因缘未熟者，不与啰嗦，从没有牵丝扳藤之情事。虽然如是，即今所说"学禅方便谭"一文，又作么生会呢？只以时临末世，去圣日远，众生多障，难以悟证，须假方便，指示坐禅法则，依之学习，方可渐次契入。即当代禅宗大德虚云老和尚亦如是说："……参禅方法，说了一大堆，也是葛藤……古德接人，非棒即喝，哪有这样啰嗦，不过今非昔比，不得不强作标月之指……"是知法勿停滞，未可死板。如欲提撕倡道，当视时节因缘，所谓应病与药，对机示教，是为佛陀说法利生之规范，亦可为吾人今日谈禅说净之效法也。

去岁于十普寺讲《六祖坛经》，今春讲《楞严经》，时常提示佛家教外宗旨，以其向上一着，千圣不传，虽然人人本具，个个现成，因吾人业习太深，慧根太浅，不能直下承当，殊为遗憾！听众之中，有志学禅者，颇不乏人，累问初心学禅方法，以作试习体验。我以法不孤起，有缘则应，即将自己学习之经验，及历来亲近善知识所听得之开示，汇集起来，填成此文，以非禅宗究竟之义，故取名曰《学禅方便谭》，藉此供诸同学同参，作个参考资料，未敢云是，希过来人，有以证之，幸甚！

一九五三年双十节白圣写于隐白山

序

　　修习出世一切道法，莫不由浅入深，登高自卑，独禅宗则反是，盖宗门专重向上一着，不许分别思量，要人直下体认，故其接引来机也，开口便打，拟议即喝，言前荐得，不许落二落三，句下承当，哪可医头医脚？一念不生，何劳牛牧？偷心才起，已隔驴年；其门庭之高峻，诚非他宗所能及。远自世尊拈花，迦叶微笑，达摩面壁，六祖毁衣，以及历代祖师种种施为，莫不各出手眼，全提正念，直截了当，不沾泥水，此乃宗门之风格，少室之家范也。

　　自世风日下，机巧丛生，人心渐杂，根器愈薄，单纯朴实之祖师禅，已不足以应群机，善知识为适合时会，不得不强作标月之指，于是创丛林，立规矩，息机锋，提话头，长年安单，静坐习定，二时上殿，日午过堂，竟将生动活泼之祖庭，一变而为寂静刻板之兰若，此岂事之得已哉！良以法毋停滞，变则能通；教对机设，药因病投，此乃方便设施，因势利导，必不得已而有然也。

台湾庙宇，禅寺居半，考其源流，系出鼓山，虽未闻龙象出众，亦堪称规模粗具；第以年时既远，面目全非，延至今日，不惟祖庭芳范无由仰及，即丛林规矩，亦多荒芜。尝闻二三禅侣，互论功夫：甲曰能坐几个钟头，乙曰见到何种境界。于是交相赞叹，各庆功行。噫！此以四禅八定，误为正法眼藏，祖道至此，夫复何言？感叹之余，每于弘法讲经时，吐露一二，尤于上年讲述《坛经》及《楞严》时，说之较多。听众之中，不乏有志学禅者，累问入门方便，更有请为编成讲义，以便阅读修习者。窃以法不孤起，有缘则应，亦颇愿将自身学习之经验，历参大德之开示，叙述成文，印作小册，俾有志斯道者作一参考；无奈弘法事繁，未遑握管，今夏复因友人催促，于百忙中写就此篇，文成马上，谬误良多，因名其篇曰《学禅方便谭》。意者本文付梓后，对于初参禅和不无借镜，但于宗门自身，徒添许多葛藤耳。

一九五四年佛欢喜日白圣书于基隆隐白山

第一篇

学禅方便谭

经云："凡有言说，都无实义。"然若一概钳默，亦是未畅所怀。为欲利益来兹，须仗名言文句，今举剩语六章，略述宗门梗概名曰《学禅方便谭》，意在以方便之语言，谈学禅之方便耳。

学禅静坐法

人身的行止，有各种不同的动作，这些动作，大致说来，有"行住坐卧"四种威仪。古人谈到参禅用功则云："行住坐卧，不离这个；若离这个，当面错过。"又云："行也参，坐也参，语默动静悉皆然。"是知参禅之法，本无分乎行之与坐；而今独言静坐者，因为初学禅者，必要具备静坐时的几种法则，方易下手用功。否则在行动处用功，难以安定；在住立时用功，不能持久；在困卧中用功，易入梦乡。因此，参禅之法，除静坐外，在"行住卧"三种形式，较不相宜。古人虽有"念佛不用嘴，参禅不在腿"的说话，但那是对一般老参禅和或年老骨硬不能久坐者而言，并非对普通一般初学参禅者所说，所以我在此处特别提出初心学禅者，必须要注意到静坐时的几种法则。依据近代宗门所倡，对于静坐时的方法，大致说来，应有调身、调息、调心三种，兹分述之：

甲，调身

禅宗调身法则就是初习静坐时对姿势所应注意的几种方法。在未坐之前，先要做一张方约二尺、高约一尺二寸的坐凳，凳上须安放木棉一类柔软垫子一个，后面须高一至二寸，坐时腰胸可以挺直。若在夏天，得用草席垫子，坐久不致硬脚酸腿。吾人坐上凳子时，须将两腿盘结起来，不可伸直或垂下两腿，因为伸直或垂下，均不能坐久，坐久要得腿疾，切须注意。

盘腿子有两种方式，一为单盘，二为双盘。何谓单盘？即先将右腿弯着安在垫凳上，再将左腿压在右腿上面，左脚跟收拢靠近右边小腹，脚底心朝上，两个膝盖的距离，约一尺六寸左右，坐起来正像一具钟。这便叫做单盘，又名单腿（单一只腿在上故），佛经谓之"跏趺而坐"。何谓双盘？即先将右腿屈弯在垫凳上，再将左腿压在右腿股上（即大腿上，如单盘状），然后再把右腿翻上来，加在左腿股上（如腿子盘纯熟了，只先把左腿压在右腿股上靠拢右边小腹，再把右腿加在左腿上便是），这便叫做双盘，又名双腿（两腿相结故），佛经谓之"结跏趺坐"，又名吉祥坐。反此坐法，若把右腿压在左腿上，再将左腿加在右腿上，则名金刚坐，又名降魔坐。吉祥、金刚二种坐法，均可随人自取，不必局定。藏密称双盘为跏趺坐，单盘为半跏趺坐，命名原非一律，实亦无关宏旨。若腿骨过硬，不能盘结者，可将两腿向下交叉，作剪刀形亦可；或老年有病不能盘腿者，只要端身正坐，亦无不可；惟坐时多不能持久，最好坐坐行行，行行坐坐，不至发生故障。如在禅宗丛林，则要一律盘腿，因系集团生活，不可参差随便故。

腿子盘好以后，如在冬天寒冷时，须用棉衣下摆，将腿子包好，故棉衣下摆要作宽些（约三尺至三尺二寸）。若下摆小者，可另用毡子之类棉绒物，务将两腿包裹完好，以免风吹受凉，或寒气侵入，致遭将来腿骨疼痛的毛病。腿子包好以后，身躯要坐得端端正正，不可前伏，伏则易睡；不可后仰，仰则气急；不左偏，不右倚，更不可背靠任何板壁，靠久即要得吐血症，要直起脊梁，头颈轻接后衣领，两肩齐平，两手仰掌向上，右掌安左掌上，或左手安右手上亦可，两手上下叠平，拇指相触，放近脐下小腿之上，但不可太贴近身体（小腹），有碍血脉流通。

又坐香前，不可食至过饱，只食七八分即止，但亦不可过少。若食之过饱，则身满气急，脉络不通，坐时大有妨碍，所以禅宗丛林，每在饭后，先要跑香（经行）一枝，再行静坐，方合卫生规律。若食之过少，则营养不足，体力不充，坐时气羸心悬，所以禅宗丛林，每日至少要食至三四次。若在冬天加香打七时，每天行坐二十四枝香，用功达二十小时，每日食次，更要增加到五六次之多，亦是为调理身体的需要条件。

又临坐时，须先注意束腰裤带，不可束之太紧，紧则气息阻滞，亦碍血脉流通。若在夏天，须备蒲扇一把，以作驱蚊扇凉之用。如有醒板一方（半边毛竹所制，约一尺三四寸长），放在所盘腿上，两掌扶在上面，身心自觉清凉。若在冬天，注意身上所穿的衣服，宜少不宜多，因为初坐香的人，不免腿子疼痛，心意烦躁，有时弄得汗流浃背，所以衣服宜少不宜多（老参则不然，以常在静中故）。以上坐时条件，大致具备，然后再闭口含齿（有云舌抵上颚），微合双目，所谓"眼观鼻，鼻观心"是也。古人对于眼之开合，亦有拣别：谓初参宜闭不宜开，开则心易散乱；老参宜开不宜闭，闭则易入昏沉，所言均有至理。调身之法，至此大致完备，苟能依此法则，每日静坐二三次，每次约一小时（多则更好），纵使不会参禅修道，对于强健身体，却病延年，实有莫大的功效。（现有一般习静坐者，屡试屡验，如不我信，请试试看，保你身体健康。）

乙，调息

当吾人在未坐香之前，先须跑香一枝（经行一次），藉此调治身心。在跑香时，运动剧烈，卒然停止，鼻中呼吸，自然感觉急促。此时应注意呼吸方法。呼之法，要从口中吐出浊气；吸之法，要从鼻中纳入清气。所以禅堂跑香，打下站板，大众停止行动，班首职事则曰："先吐两个'嘘'字，再由鼻中作出入呼吸，不可张口呼吸，有伤气管……"然此犹属行动中的调息法，尚有静坐时的调息法，方是本节正文。

吾人之呼吸，原有"风、喘、气、息"四种粗细差别之相，而今独言调息法者，以"风喘气"三种，为粗浮不调之相，在此三种粗相中，均不能摄心用功，故皆略之；唯息相微细，堪可称为调和者，依之可以静心澄虑，渐次导入禅定功夫。兹将"风、喘、气、息"四种差别之相，说明于下：何谓"风"相？谓于行香后初坐时，只觉鼻中呼吸如风，并有声响之相。古人说"守风则散"，当非用心之时，故为不调和之相。何谓"喘"相？谓鼻中呼吸之声响，渐次使其停息平静，唯出入之气，犹觉停滞不通，并有喘息之相。古人说"守喘则结"，亦非用心之处，故亦为不调和之相。何谓"气"相？谓虽觉鼻中之声响止息，亦不停滞，唯觉鼻中出入之息，独粗而非细，不能使心安静。古人说"守气则劳"，亦非用心之境，故仍为不调和之相。何谓"息"相？谓鼻息至此，既无声响结滞，又不粗重虚浮，单觉出入之息，细密绵绵，若有若无，神情安适，不觉渐趋定境。古人说"守息则定"，正是用心修禅之时，故为调和之相也。根据以上四相之说明，当知初学禅者，必须将呼吸慢慢平静下去，要平静到自己不知道有出入息时，方是调息之准则。

此处须特别注意，修禅的调息法，与止观的数息观不同，数息观是心中数记出入气息多寡之数，其法是从一数到十，再回头来重数，由一至十、由一至十的重复数法，或从一至十，再返转来倒数，由十退至一，像这样数法，名数息观。我国汉、晋、南北朝曾盛行数息观。依梵语即名为"安般禅"，殆即印度禅定之一种也。又修止观时，常用数息观，而修禅调息法，乃专为调和气息，令心安定之方法，不涉观想。古人说："息若调和，则诸患不生，其心易定。"是为初学禅时之调息法也。扼要言之，禅宗调息大致与安般禅为共法。（天台小止观立有数息观法，可供此节参考。）

丙，调心

参禅便是做心地功夫。夫心有多种，究从何心下手，必须详加说明，方可找到个入处。佛法谈心，略分为五，兹特说明于下：

（一）肉团心，此心即吾人身中"地水火风"四大和合所成的一团肉体，形同倒挂莲花，即生理学上所称之"心脏"是也。此心脏原属无情物质，如同草木之类，并非是心，众生不知，妄认为心，是乃大错！《楞严》斥为"众生颠倒，认物为己"，即是指此也。

（二）缘虑心，此心即吾人能缘六尘前境而起念虑之心也（即第六识）。此心之功能，除反映前尘境象外，余无作用，所谓"尘有则现，尘无则亡，离尘无体，纯属妄想，而非真心"。可惜众生均认以为心，此亦是错。《圆觉》斥为"众生妄认六尘缘影，以为心相"，即指此心也。

14

（三）思量心，此心即吾人心中念念思想量度之心也（即第七识）。此心之作用，即在忖量计度不实之法，坚固执之以为实有；如执五蕴身心为实我，凡是一切看不穿、放不下的事，都是此心在那里作祟。

（四）积聚心，此心即吾人心中能集聚根身（人生）、器界（宇宙）、种子（功能——原素），而生起现行诸法（现象界）之心也（即第八识）。此心为宇宙人生之大本，体兼真妄二种原素，《起信论》"真如（真）无明（妄）和合而成之阿赖耶识"，即是此心也。

（五）坚实心，此心即吾人法尔本具、坚固真实、不生不灭之心也。以其不为一切妄染之法所转，故此心亦名自性清净；以其本来具足一切功德法义，故此心亦名如来藏体；所有真如、佛性、法身、理体、菩提、涅槃、实相、般若等名，皆指此本具之真心，实名异而体同也。圭峰宗密云："一切众生皆有空寂真心，无始本来，性自清净，明明不昧，了了常知，尽未来际，常住不灭，名为佛性，亦名如来藏，亦名心地。达摩所传，是此心也。"（《宗镜录》卷三十四）

依据以上五种心相之研究，第一肉团不是心；第二、第三及第四之一分无明，禅宗通名之为妄想心；第四之一分真如，及第五坚实心，禅宗通名之为"真心"。本节所谓调心者，即调制此中所有的妄想心，不令生起虚妄作用是也，所以禅宗用功夫时要"离心（八识）意（七识）识（六识）参"，即是此理。

15

吾人自从无始以至今生，均生活在此妄想心中，今要制止它，不令生起，当非容易之事，故吾人在做功夫时，先要依法调伏此心，无问好事坏事，善心恶心，都不可思量，要依六祖所说"不思善，不思恶，正恁么时，那个是明上座的本来面目"的功夫去做；亦无论过去未来的事，均不得想念，须知《金刚经》上"过去心不可得，现在心不可得，未来心不可得"的道理，就是教训我们做禅功的标指。我们能在三心了不可得时，悟到个入处，试问还有什么想念存在？总之，初学禅人，在妄想起时，不去随它；境界现时，亦莫理它，所谓"离虑息念，万缘放下，制心一处，道可办矣"。禅宗调心法则，大略如是。古人尚有"入心""住心""出心"三种调治法则，言之綦详，然此乃修止观时所用的方法，非参禅的方便，故禅宗不取此说。禅宗只说身体坐正，气息和平，心中不要妄想，即可举起话头，专心细细地来参究了。

学禅入门法

前章所说静坐时的种种调治法则，乃为参禅的预备功夫；本章方是学禅入门的主要法则。此项法则，系根据近代诸大宗师之开示，以及作者学禅之经验，于本无法则之中，撰成法则，以供初心学禅者，作个敲门砖子，或仅作个参考资料，当亦不为无益。兹将此入门法则分述于下：

甲，举起话头

禅宗修持的第一方便，名字叫做"看话头"，意思就是叫我们看着那未讲那句话的头（不是看已讲那句话的尾），到底是什么？这是现代虚云和尚的说法，其意话头是一念未生以前的境界，看话头即是回光照性，当然有其大功德。不过，一般的解释，话便是一句无意味的话，头是语助词，是名"话头"。看者照顾义，即照顾此一无义味的话，截断众流也。看话头即是参禅的下手方便，古来祖师，为了这一句话头，立出许多公案，接待后人。大致说来，有一千七百余则，案案皆可供人参究，随人提撕，依着个人的根机，拈将出来，均能震聋发聩。古人举公案，多略举其名，以免行者为忆诵公案全文而杂念纷然，如"达摩祖师西来大意"、"父母未生以前的本来面目"、赵州的"狗子无佛性"等公案，不知清醒了多少人的眼目；更有"柏树子"、"麻三斤"、"干屎橛"、"云门饼"、"赵州茶"、"临济喝"、"德山棒"、"天龙指"、"夹山境"、"禾山打鼓"、"护国㦬啰"、"初一到十五"、"昼夜一百八"、"佛性是什么"、"原来是个贼"、"大海一滴"、"草深一丈"、"丹霞劈佛"、"南泉斩猫"、"驴事未去，马事又来"、"万法归一，一归何处"，以至近代一般宗门下所用的"念佛的是谁"……都是禅宗接待后人的公案（话头），从古至今，不知有多少古德禅和，从这些话头上得到入圣超凡和成佛作祖去了。但初机行人若不知公案中问答语，又感上下无关锁，将致话头旋提旋失，不能照顾，纵不如此，亦难发起疑情，故话头须简短而本身具有疑问者，庶便参究。

恁般说来，今日初学参禅者，究依何种话头下手最易入门呢？盖自永明寿禅师提倡禅净双修，叫人参"念佛是谁"以来，后世学者，均依为圭臬，良以末法众生，慧心渺小，妄想特重，叫他参旁的话头，他不但不在话头上找入处，而且专在话尾上乱打妄想，反使功夫不得门径，比如叫他参"父母未生以前的本来面目"，他不向

"本来"处用功，反想父母如何生我之事，又如叫他参"狗子无佛性"，他不向如何无佛性之"无"字处着眼，反而想到黑狗、白狗、大狗、小狗、洋狗、华狗，妄想了一大群的狗，反把"话头"本身抛到九霄云外去了，哪里还谈得上什么参究的功夫？所以近代善知识，叫人参"念佛是谁"，正有妙义在内，纵使你不向那"是谁"处用功，想想所念的佛，也是好的。何况"谁"之一字本身即是问话，叫你且疑且参，话头不失，疑情随起。因此"念佛是谁"这则公案，便成了近代宗门下所公用话头了。

话头之词意，虽各有不同，然其共同之点，皆以无义味之话，使人咀嚼不已，因之发起疑情，又凡是话头皆有其实在之落着，"话头若无落着，即是不根之谈"（龙池传禅师语），亦话头之共同点也。

初学参禅者有时散乱或昏沉，立即忘失所参话头。话头打失时，如系由于散乱，应即屏息妄念，收集散乱心，重行提起本参话头参去。如系由于昏沉，应即睁目提神，重举话头惺惺寂寂地参究。

究竟如何参究？语其根本，则不外回光返照，如仰山寂大师上堂云："汝等诸人各自回光返照，莫记吾言。汝无始劫来，背明投暗，妄想根深，卒难顿拔，所以假设方便，夺汝粗识。"语其要领，则以囫囵参究，不涉知解言诠为要，如笑岩宝大师云："浑囵参审，勿就意识思惟穿凿。"又曰："越不会，越有力。"由此可知参话头就是参禅；囫囵参究就是不在话头上起分别知见，而只一心照顾，勿忘勿失。

清世宗雍正帝自号圆明居士，选辑禅宗祖师语录，名曰《御选语录》。其卷十六序云："达摩西来，不立文字，直接人心，以此慧灯，续佛慧命。到者里，唯证乃知非可测，见闻知觉，一点难容，才辨聪明，丝毫无涉；但将一句无义味话，似银山铁壁看去，一时不了阅一岁，一岁不了阅一纪，拼却今生来生，与之抵对，久之，久之，一时参破，万有皆空，并此无义味话，亦了不可得，（如）树头果熟，因风堕地，五花八裂，团地（团读若"啊"，失物复得惊喜之声）一声，自然无着落处而有着落在。"其示人对参话头应不起知见、不作解释，已说之甚明。黄龙祖师语草堂清禅师云："子见猫捕鼠乎？目睛不瞬，四足踞地，诸根顺向，首尾一直，拟无不中。子诚能如是，心无异缘，六根自静，默然而究，万无一失也。"此举喻说明用功看话头之法更为真切明了。

清初玉琳国师云："参定一句话头，便是斩知见稠林之利刃，渡生死苦海之慈航，解杂毒入心之圣药，指万古迷津之导师。"其意是说参定一句话头，便能具足万般功德，盖以一切知见，对此向上一着，无非杂毒，唯此一句无义味话头，独不落任何知见，便抵消一切妄念，便直趣发明大事，故参话头即是渡苦海、出迷津之究竟方便。永明寿云："此圆顿教门，唯一无分别法耳，无有际畔，不涉一多；以即边而中，故无法可比；以即

妄而真，故无法可待。"（《宗镜录》卷三十一）

乙，提起疑情

"疑"之一字，在教中所说，乃六种根本烦恼（贪瞋痴慢疑邪见）之一的恶心所法。修道的人，万不可使它存在，因为它的反面，是个"信"字，佛教一般修持的法门，就贵重在此一"信"字上，如念佛法门的"信愿行"三种资粮，三十七道品的"信进念定慧"五种根力，《华严经》的"信为道源功德母"，《金刚经》的"断疑生信"等等，都是以"信"为入佛道之要务。独禅宗一法则不然，它的整个功用，便建筑在这个"疑"字上，因为"有疑便是禅，无疑不名参"。所以古德云："有此一段疑情，保证成佛有分。"由此可见"疑"之一字，在禅宗的功用上，是有着非常重要的价值。所以然者，教中所说根本烦恼之疑，是由不信而生；参禅所说之疑情，乃由信而起。二者名字略同，而来源迥异。所信者何？首信"是心作佛，见性成佛"。《宗镜录》卷十九云："十方诸佛中，无有一佛不信此心成佛；二十八祖内，无有一祖不见此性成祖。"如是信者即可远离《法华经》偈"少智乐小法，不自信作佛"之疑烦恼。次信"由文字而机用，由机用而话头，一变再变，逗会适时。此本置之一处，无事不办法门。此门一开，万古莫易，尽未来际，当遵行之"（钱伊庵《宗范》卷一）。更信"一念回光正智开，须臾成佛法如是"（永明寿《定慧歌》）。这个"法如

21

是"之法，即系看话头之一法。对此一法必须信得真，才能行得切，信得真，才能看得上话头；行得切，才能发起疑情。

所疑者何？就是"大事不明，如丧考妣"之意。所谓大事者，就是作佛成佛；也就是对已信的那个作佛的心，成佛的性，究竟是什么样儿，一定要明白，要亲见，即所谓"明心见性"是也。学人对此明心见性的大事，以真切心，殷重常恒心参究下去，自然可得真疑现前，终于打破黑漆桶子，大明亲见。明白地说，参禅者意志集中在信能送我成佛的一句话头上，一日未到家，便一日不放松它，这便叫提起疑情。换言之，疑情很类似"定"，将心定在话题上，不动不摇，勿忘勿失，即为参禅功夫得手。由定可以发慧，由疑情可以开悟，疑情与定原是大致相同。所以不名定而名为疑情者，不曰发慧而曰开悟者，以疑情与定相较，它更有活泼泼地参究的作用在，所谓"问渠哪得清如许，为有源头活水来"也。

但如何谓之"疑情"？怎样叫做"起疑情"？这里可举一喻，比如今天会见了一位客人，面孔好像很熟悉，但总想不出是在何处见过的，如是再三推想，此人到底是在什么地方见过的呢？这种寻思的状态，便是疑情的定义。吾人参究"念佛是谁"，也是作如此的寻思，参究这念佛的是什么人？这便叫做疑情。至于起疑情的方法，就是在身坐端正、心气平和（三调法则见前章）之后，从心念中，念两声"阿弥陀佛"（不可出声），然后再回光返照，看那个能念佛的到底是谁？这便叫做起疑情，也就是看话头。如果没有捞摸，再念几声佛，继续看这念佛的究竟是谁？此处要特别注意，参"念佛是谁"，只是问号，没有答案，如问念佛的那个到底是什么？又如究竟是何人在念佛？切不可说是我念的吧？或是我的心念的吧？须知现前的这个我，乃四大假合，现前这个心，乃妄想生灭；离此二种，毕竟谁是念佛的主人翁呢？如无消息，仍旧要依着念佛是谁的本参话头，参究下去。答案是有的，那就是一旦豁然贯通的"悟"，也就是上节所说的话头有了落着处。

作者初学参禅时，总觉话头看不上，疑情提不起，常感悲伤。一日在养息香后，听到善知识开示云："你们初发心的人，总是觉到疑情提不起，功夫用不上，毛病就在不能忘我。我今天来教授你们起疑情的方法，你们先将两眼闭上，倾心听我所说，我说什么，你们便想什么，一一依我所说做去，保证你们立刻会用功夫（少停）。你们首先观想自己的身体，已经生病死去了！（少停）已将你的尸首，送到火葬场用火焚烧了！（少停）现在所剩余的一些骨灰，又把它磨成微尘，被大风吹散尽了！（少停）你们现前什么都没有了，一物存在，都不可得！正在此'一物都不可得'的时候，你们与我同声念一句佛号。（少停）'阿弥陀佛'！马上'回光返照'，看这'念佛的是什么'？（少停）你们的疑情，有着落吗？如有着落，就得依此参究下去，这便是做功夫的入门处。"当时听到这里，忽然疑情现前，身心双忘，从此不再悲伤功夫之难用了。上来所说，是作者初学起疑情的方法，后来也依样葫芦，告诉给一般初学的同学，都认为很有效验；但这种起疑的方法，全是为初学的人说法，若是功夫会用的人，根本就用不着这一套。只要在"念佛是谁"四个字的意义中追究就可以了。若是功夫用得纯熟一点，只要"是谁"二字，疑情照样提得起，及至功夫有进步时，只有一个"谁"字，也就够你终身参究了。

以上甲乙二项乃参禅的必要功夫，但在用功的进程中，切忌太缓与过急二病。如若太缓，则不入昏沉即堕妄想，使你功夫不能进步；如若过急，则不是心气痛，就要郁闷，使你功夫不能继续。古人说得好，用功等如调琴，须不紧不松，紧则丝弦易断，松则雅音不发，所以我们用功，要注意到"不缓不急，亲切谐和"八个字。又用功的过程，等如撞钟一样，初撞时有声有响，末后则有余音，待余音尾时，再撞一下，不使钟音断绝。比之我们用功，也是如是。初举话头时，必有得力的疑情可用，少选疑情将了时，再提一句话头起来参究，亦不使其间断。所以古人说禅宗功夫，贵在一气做成，不可中间断续，必要亲亲切切、绵绵密密的参究，切不可悠悠漾漾，似有若无。如若自己哄骗自己，哄到腊月三十日到来，只落得手忙脚乱，悔之无及！

又须特别注意，做功夫不可在功夫上另生知见，妄着空有两边，有碍禅宗的正修。有等人单看着一念起处，或观照着当下一念，或保守一句话头不放（不知参究），或把话头当着佛号念，这都落于"有"边，不是禅宗蓦直参去的功夫。又如单想着不思善、不思恶处，或见着一念未起时，或照着一念已灭处，或观着一物不将来时，或看着一物不可得的……这都偏于"空"边，亦不是禅宗参究的功夫。像这些毫厘之差的知见，和依稀仿佛的功夫，最易笼统。若非明眼人亲加指示，多要被其瞒过。希末世学禅者，具起择法眼来，善自鉴之，善自验之！

禅功三大病

依据前章所说，参禅的人，只要有了疑情蓦直参去，自能打破疑团，发明心地，哪有什么禅病之可言？无奈末世学者，积习太厚，智眼未明，不能抱着一句话头，直路归家，在用功的路途上，自不免有许多摸索，因此便感觉到有各种障碍发生，而成为参禅做功夫的大病。兹择要加以说明，以资警惕。

甲，尘境牵动

古人用功须常在静境中参究，功夫才有得力进步处，如其在闹市动乱中，既不能令心安静，当然功夫也不能进步。尤其初心用功夫的人，若无清净环境，为其助缘，就根本用不上功夫，哪里还说得上进步呢？所以初用功的人，首先要克制尘境，不要为它所转，因为五尘欲境，能引牵吾人的五根，念念奔驰于外，几无刹那停息的时间，哪能使我们安静修道？所以初心学禅者，应特别留心，自己所居的环境，是否合乎静坐用功的条件，果能身居深山古刹，或寒岩古洞，自不必说，如其在闹市场中，也要觅个闹中静的地方，方为相宜，否则功夫便无法上路。古人虽有"十字街头也好打坐参禅"之说，但那是一般功夫用到动静一如的老参禅和所说的话，并不是我们初心用功的人所能做得到的境界。释尊曾对他的弟子们说："汝等修道先须选择阿兰若居（寂静处），然后随方化度。"古德亦说："先在静中，把功夫做到纯熟了，而后再到动中去淘汰。"又云："我在静中做功夫，十分做得主，跑到动中去还只有三分。"由此可见禅宗用功，对于选择寂静环境，乃为首要条件，所以晚近宗门丛林，均建有"禅堂"一所，专供修禅者做起居挂搭之用。因为修禅的人，身居清净堂中，既无外境扰乱，而于所做功夫，自也容易进步。

上来所说，乃初心用功时，所忌外境扰动之病，而老参禅和在用功夫时，亦有"为境所扰"之苦，不过老参的禅病境界，形相微细，非一般初学者所能了知。相传从前有一则细境能扰功夫的公案，写在此处，做个参考。从前牛首山法融禅师在山上石屋内静坐观心，一日四祖行脚南方，慕名往见，视石屋之畔，虎狼围绕，故作怖畏之状。牛首禅师曰："还有这个在？"四祖不语，潜于牛首禅师坐位上，写一"佛"字，牛首一见，悚然不敢坐下，四祖曰："你也还有这个在！"二人相谈已久，入夜就寝时，四祖纳头便睡，鼾声如雷，牛首正端坐观心，深为四祖之鼾声所扰，心责修道人有失僧态。次日晨，牛首面斥四祖曰："既已作祖，何有如此鼾声？扰人整夜不能入定。"四祖反斥之曰："你这恶心比丘，昨夜大开杀戒，杀断虱子一条腿，整夜呼痛不止，直吵得我一夜不曾入眠！"盖牛首果于夜坐时，为四祖鼾声所困，不能安定，遂摸着一只虱，投掷禅床下，不意折断它一只腿，呼唤终夜，以致被四祖知道了，大斥一顿，真是罪有应得。依着这则公案看来，可知所有尘境，无问粗细，均为扰乱禅功之大病，因此吾人于用功时，务要抱定话头，向前参去，日久功深，自能克伏尘境，方可做到动静二相，了然不生之境地。

乙，昏沉缠绵

"昏沉"就是瞌睡，它对吾人做功夫的危害作用，虽不如妄想的力量重大，但它扰乱禅功的进修，缠绵行人的静境，而为用功者的大敌，却是毫无疑义。每每看到一般参禅的人，说起来已在禅堂用功多年，谈到功夫见地，自认也相当高深，对于生死大事，也好像很有把握，但是每于止静坐香时，却见他瞌睡沉沉，毫无精进之象，有时瞌睡得连香板都打他不醒。这便是粗重昏沉，缠扰着行人身心不能自主的现象。行人至此，必须抖擞精神，或走下禅床，重把话头提起来，亲切参究，方可透得此关。所以在禅堂坐香时，有巡香师巡查，见有昏沉者，即下香板，打散昏沉。如一再打不醒时，即卓香

28

板一下，叫你下来站立，或跪在佛前，务使将昏沉驱散为止。

还有一种轻微的昏沉，在表面上绝对看不出瞌睡的现象，只是在坐香时，微低其头，或微点其头，甚至连头也不动，而精神却在蒙昧之中，如是于不知不觉中，便把一枝香的宝贵光阴，给混过去了，而行者本人，反以为功夫用得颇有成绩，殊不知自己正是沉没在微细昏沉中过生活呢。古人说："有等人用功，不能痛将生死大事为念，悠悠漾漾，不觉打在无事家里。"又云："有等人做功夫，打不起精神，终日在鬼窟里作活计。"这即是说的此等人。所以一般老参禅和，就怕这种轻昏沉的缠绵，因轻昏沉初来时，极不容易被你发觉，既来之后，又要将你整个的思想和精神，都迷蒙住不能自由。所说这种境界，非常重要，必须功夫细密时，方可觉察得到。

作者曾对昏沉起来时，作过细心的研究，大致粗昏沉要来时，必先有散乱的妄念生起，但有时昏沉与妄想同时生起。此象粗着，容易发现。至于微细昏沉要来时，必先于用功的念头上，浮起一种微细的杂念，或于功夫处，显现出一团黑影，这都是细昏沉将要起来的象征。有时更感觉到昏沉来时，先是由后脑际经头顶，而至两眼，再入心脏之中，所以昏沉经到什么处所，都要受它的影响。比如昏沉到达头顶，头即低垂；昏沉到达眼根，眼即合闭；昏沉到达心地，心即朦胧睡去，此皆累见不谬者也。

古人因它妨碍功夫进步的作用太大，用尽种种方法来调治它，降伏它，务要使其除灭，如西天目山的高峰妙禅师，为降伏睡魔的扰乱，发奋跑到千丈高峻的悬崖上，打坐参禅，心想："假若再要昏沉，即便堕下悬崖，碎骨粉身。"果然在初坐时，畏死心切，没有昏沉侵入。但是时间一久，睡魔又复光临，结果跌下了深坑。此时自知此身已矣，无复生望！不意将及山腰，觉有人托着身体，未及下坠，遂问曰："救我者何人？"答曰："护法韦驮。"高峰闻而喜曰："世间像我用功精进者，尚有几人？"韦驮闻而斥之曰："世间像汝用功者，多似牛毛，何足为奇，汝这慢心比丘，吾将五百世不护汝法！"高峰听了大生惭愧，自责功夫用到此处，尚不能克制昏沉，何可生大我慢？如是重复发奋，再坐原处，以冀挽回功夫于万一，岂料不久，又被睡魔侵扰，二次跌下悬崖，自料此次必死无疑，孰意又被韦驮救起，高峰惊曰："菩萨既已有言，何复救我？"答曰："因汝发一念忏悔心，已超越五百世我慢罪，又见汝为睡魔所困，故再救汝，汝当精进用功，睡魔将自退却。"后来高峰励志用功，一日闻道枕子落地声，忽然打破疑团，团地一声，跳出昏沉罗网，从此大了大当，而为禅宗一代祖师。吾人见了这则公案，便知参禅的人，对于降伏昏沉一事，实非容易，务须如高峰妙祖，痛下一番苦功，方有你转身处。

丙，妄想阻碍

"妄想"这东西，正是我们做功夫的大障碍，它不但阻碍功夫的进展，而且还要障蔽吾人的智慧，因为有了妄想，吾人就不要想再用功夫。关于此意，我在前回"调心法则"一节，言之已详。但前面所言者，是说初心学禅者，必要调治对境所起的散乱妄想心，令不生起想念分别，方可提起话头来参究用功之义。此节所言之妄想，是指用功的人，已经知道有功夫可用、有疑情可起的这个阶段，而发现种种妄念，阻碍功夫不能前进的那些粗细妄想（法尘影事与无始习气）。

说到妄想的粗细，自是用功较久者的自知境界，非一般初学者所能知其究竟。普通虽说"初参怕妄想，老参怕昏沉"。其实此说，并不究竟，因为初参所怕之妄想，是指粗浮妄想而言，所有微细妄想，正为老参所忌，而为初参者所不知耳。据作者所知，大致功夫用到亲切绵密时，粗浮妄想，固不会生起，即微细妄想也会知道它的来去境象。作者从前居禅堂时，曾亲见微细妄想之形象，并求证于诸善知识，均认为不错。兹将当时所见的境界，举个比喻来说明，供诸学禅者做个参考。比喻此间有一池水，由池底鼓动一股气体，上升到水面，即成为水泡；若是一池澄清的水，池底的气体，将要鼓动时，或正在鼓动上升时，我们都看得清楚明白。这是一个很明显的比喻，比喻我们正在用功夫的时候，常从本

31

识海水中，鼓动烦恼种子生起种种杂念妄想，若是功夫得力，心水澄清时，只要有个妄想的影子，将要在心中发动，我们都能够明显知道。但须注意，这时只知道有个妄想的影子将要生起，而实未曾生起；至于它是属于哪一类的妄想影子，因未发现出来，故不得而知，这便是微细妄想的来去境界。又考微细妄想之现象，生灭不住，念念迁流，非有观照智慧的功夫，不易觉察得到。作者曾在禅堂内，一日早起时，从广单（大床）上，走下子单（坐凳）来，约两三秒钟，已觉到有数十个妄想之多。当时并能从前至后，一个一个地分得出是些什么妄想。从那时起，我即证明佛经所说的"一念有九十刹那，一刹那有九百生灭"的道理。

兹为便利初心学禅者，明白妄想的现象起见，特假《楞严经》上的"客尘"、"主空"二义，来说明我们心中的粗细妄想，以及真心常住之理，使我们下手用功时，有个着落。经云：

"譬如行客，投寄旅亭，或宿或食，宿食事毕，俶装前途，不遑安居。若实主人，自无攸往。如是思惟，不住名客，住名主人，……又如新霁，清阳升天，光入隙中，发明空中诸有尘相，尘质摇动，虚空寂然，澄寂名空，动摇名尘……"

此中"客尘"二字，是喻粗细的二种妄想，因客之来去，行相显著，故喻粗的妄想；尘之动摇，行相隐微，故喻细的妄想。而"主空"二字，则是譬喻吾人的本来面目，常住真心。所以吾人在做功时，应该要荐取主空，摈除客尘，当下即可得个拨云见天、返妄归真的分晓；即使初心用功者，不客尘主空处讨个分晓，亦当识此粗细生灭的妄想，不要随妄想的生灭而生灭。如能识得那个不随妄想生灭而生灭者，当下即是常住真心的边缘，纵使不能做到不随妄想生灭的"不随"功夫，也得认清妄想之所以为妄想者，以其为虚妄不实之想念也，既无实体可言，何有思念之处可得。故吾人用功夫时，对于所有妄想，均不要理会，只须功夫落堂，自能除灭烦恼，空诸妄想也。

定境之分析

古人云："禅宗做功夫，有的直下承当，有的一闻即悟，并无许多葛藤之情事。"此说是对上根利智者立言，若是中下之流，则无如此简单。以其每于用功的路途上，境界累累，难关重重，如不坚持正念，策勉进修，势难排除境界，冲破难关。所以此章所明，有关定中境界的分析，实为今时参禅者的照妖宝镜。如其认识不清，见处不明，稍失观察，即入邪途。吾辈学人，对此章应特加留意。

甲，自心境界

自心境界，就是参禅功夫做到相当静寂时，内心中所现的各种境界，因为这种境界不从外入，非由身得，是依功用心中所现，故名为"自心境界"。有一般不了解自心现境的人，以为"凡是境界必从外来"，这是错的。我们应把它改为"凡有境界必是心现"，也便是佛教"三界唯心，万法唯识"的真理。至于这个心，何以会现出境界来？依佛经所说，如果功夫用到外境不入时，自心中所潜藏的诸法种子（即无始虚妄习气），便会发生现行出来，这种现行，禅宗便叫做"自心境界"。最初由于功夫相应，忽觉忘身忘体，不知有物；或功夫用到纯熟时，忽而妄念暂歇，身意自在；有时在一刹那间，已经度过很长时间；有时于无意之中，精神忽然得大快乐；有时在一动一静时，顿觉心境俱空；有时于一见一闻处，忽悟人我双忘。所有以上种种现象，均名轻安境界。这种境界，固是功夫得力的好现象，但刹那即要消逝，不可执为实有。倘心存留恋，以为此境如何轻安，如何快乐，心心不舍，念念难忘，希求于再坐时重现一次，此是大错，因前来所现轻安之境，是由于功用得力，妄念间歇，故而暂现，不是吾人用妄想心，希求得到的境界。所以古人斥之为"预搔待痒"，即是对治此等人。

须知我们的功夫用到什么程度，便有什么境界现出，比如行路一样，行一段便有一段的境物。如其行人未到家园，切勿贪境恋栈，裹足不前，有碍自己的行程，这是自然之理。吾人用功，亦复如是，功夫用到何种路途，自有何种境界，何可留念？况此境界，一现即逝，并非实有，更何贪念之有？须知参禅的人，坐几枝好香，现一点轻安境界，根本算不了一回事，不要寻光逐影，自拉自唱，临到头来，一无所得。此时最关紧要者，仍须在本参话头上用功，不要被一点轻安境界拖入泥溺，打个透湿，切记切记！

功夫再进，便现出种种殊胜境界，如在禅定中，看见诸佛菩萨的形相，或见着十方诸佛的净土，或见到宝塔莲花，以及各种庄严胜迹，或见自身坐于宝塔莲花之上，或闻种种佛法音声，或自身能现各种神通，或口中能说各种经法。总之，凡是在禅定中所现的各种境界，无问如何微妙，均非实有，不可执著，执著便遭魔境。在《楞严经》五阴文中，谈到这种禅那所现的境界有五十种之多，这里略举几则，以作借镜，如色阴文云：

又以此心……内光发明，十方遍作阎浮坛色，一切种类，化为如来，于时忽见毗卢遮那，踞天光台，千佛围绕，百亿国土，及与莲花，俱时出现。此名……心光研明，照诸世界，暂得如是，非为圣证。不作圣心，名善境界；若作圣解，即受群邪。（色阴之四）

又以此心……精光不乱，忽于夜半，在暗室中，见种种物，而暗室物，亦不除灭。此名……密澄其见，所视洞幽，暂得如是，非为圣证……（色阴之六）

又以此心……四肢忽然同如草木，火烧刀砍，曾无所觉，又则火光不能烧热，纵割其肉，犹如削木……（色阴之七）

又以此心……净心功极，忽见大地十方山河，皆成佛国，具足七宝，光明遍满，又见恒沙诸佛如来，遍满空界，楼殿华丽，下见地狱，上观天宫，得无障碍……（色阴之八）

依据以上四段禅那现境之文观之，大凡修禅者，对于定中所现之各种境界，似难避免，但总不要忘掉，每段后面，有"暂得如是，非为圣证；不作圣心，名善境界；若作圣解，即受群邪"的六句结文，对于此种境界，便可迎刃而解了。也就是说吾辈修禅者，对于这些自心所现的境界，虽都不应把它当作坏的境界，但也不是本来的家珍，故凡发现这种境界，千万不要睬它，时过境迁，自然云散天空，不会再有什么境界可现。行人在此如不知觉察，贪着此境，执为实有，而反妄生知见，迷为圣解者，即使不堕魔王眷属，也要遭到魔王扰乱，真是危险万分！每见一类不具正信的无聊禅客，自称现身菩萨，自家吃得酒醉肉饱，到处寻僧访友，说道论禅，甚或借故考问沙门，漫骂比丘，殆亦魔王所使者欤？

乙，外魔境界

古人说："道高一尺，魔高一丈。"又说："任你功夫高深，难逃魔王一关。"这些话，好像似说越是有修行的人，越难逃避魔关一样；其实不然，只要修禅的人，能明白禅宗的理论，能知道功夫的路途，自不会惧怕魔境来扰。考魔境搅扰，不出两途：一是行人的功夫用到极致时，魔王见了大生惊怖，生恐你超出了三界，震坏他的魔宫，于是亲身前来，破坏你的定力，如世尊在菩提树下入定时，欲天魔王，先遣魔女献媚，再用武力威胁，——均被世尊所降伏的便是。二是行人的功夫已有相当成就，魔欲扰乱行人的禅定，如是遣令眷属，到行人前，伺其动念方便，趁隙入其心腑，破毁行人的禅定功夫，如《楞严》五阴中之想阴的第八节文云：

又善男子……研究化元，贪求神通，尔时天魔，候得其便，飞精附人，口说经法。其人诚不觉知魔着，亦言自得无上涅槃，来彼求通善男子处，敷坐说法。是人或复手执火光，手撮其光，分于所听四众头上，是诸听人顶上火光皆长数尺，亦无热性，都不焚烧；或水上行，如履平地；或于空中安坐不动；或入瓶内，或处囊中，越牖透垣，曾无障无碍；唯于刀兵，不得自在；自言是佛，身着白衣，受比丘礼，诽谤禅律，骂詈徒众，讦露人事，不避讥嫌，口中常说神通自在。或复令人旁见佛土，鬼力惑人，非有真实，赞叹行淫，不毁粗行，将诸猥媟，以为传法。此名大力精鬼，年老成魔，恼乱是人，厌足心生，去彼人体，弟子与师，俱陷王难。汝当先觉，不入轮回，迷惑不知，堕无间狱。

我们见了这节经文，便知魔境扰乱行人的力量，实在可怕。所以古人又说："宁可千日不悟，不可一时着魔！"即是叫行人时加警惕之意。相传从前终南山有位老修行，一日坐香时，妄动贪食面饭之念。少顷，见一少妇，送一钵面饭至，谓此面煮熟未久，请师父趁热就食。此时老修行，因一枝香坐将一半，不忍下坐就食，令少妇将面送至厨房锅内，稍待再食，以食时尚早也。

唯见少妇颇现怒色，恨恨而去。待老修行坐完一枝香，入厨房开锅取面时，只见一群蚯蚓，爬遍满锅，并无所谓面也。老修行至此方悟，一念妄动，即是招魔之由，因稍有定力，方未遭造杀害众生之罪。又从前有一僧人，常居深山茅屋，功夫亦有相当成就，一日坐香时，动了一念贪心，忽见三个女人，一老二少，来到茅篷，求教佛法。僧人初不疑有他，随缘开示。日久，老妇谓僧人曰："吾欲以二女侍师左右，未知肯收纳否？"僧闻言始觉有异，即以严辞责之，使去。妇既去，僧尾伺其去处，忽而不见，往觅之，亦无宅第，只见古树三株，一大二小，余无他物。僧知即是此树作怪，心思欲以刀砍伐，或以火焚烧，以除后患！正思念间，忽见树神三人，出而求赦，并说明活来现象，原为破坏师之禅定功夫也。所以我们在禅定中，无论发现何种境界，均不可执著（此意前节已言），以著则予魔王以扰乱的机会。古人说："魔因境有，境由心生。"如其功夫用到心念不生时，自无境界之相可得。如境界不有时，则一切魔相，自然无从凭依矣。

疑情与悟境

禅宗用功的目的是在发明己躬大事，悟彻本觉心源，并解开一切众生无始来的生灭、垢净、圣凡、增减等情见的死结，而复归自在无碍、寂灭无为的本元心性。但禅宗之开悟与否，须视疑情之能否现前而定。如果疑情现前，早晚必得开悟；如不现前，则开悟无期。唯疑情之是否现前，端赖平常所做的功夫，是否亲切绵密而有进步，所以吾人参禅欲求悟明心地者，须急切地抱定话头，把牢疑情，自不难有了当之时期也。

甲，真疑现前

参禅人在话头上，照顾得绵绵密密、清清朗朗，不为昏散境界所动，他照顾话头的功夫总算有了得力处。如果在二六时中，行也参、坐也参，功夫不打失走样，也不杂用其心，这便是疑情有了着落处，久之，定有疑情发起。但此处不可停滞呆板，保守不前，见有一丝丝疑情现前，便认为是功夫得手，更无余事，这是错误的。此时必须要活活泼泼地参将来、疑将去，亲亲切切地参将去、疑将来，刹那刹那，念念之间不得停住，虽遇泰山崩于前，麋鹿兴于左，也务要保持疑情不失，丝毫放松不得。此时话头与疑情成为二而一，一而二，纯然一体，不可分别的东西，梗塞在行人心中，吞不下，吐不出，长时如此，乃得到真疑现前。否则，稍纵即逝，功夫便不能进步，如仰山古梅禅师说："将本参话头提将起来，疑来疑去，拶来拶去，凝定身心讨个分晓。"这便是对参话头起疑情，用功夫的明确指示。功夫更进一步，便是疑情结成一团，打成一片，不参自参，不疑自疑，动静恒一，寤寐一如，从朝至暮，彻头彻尾，只有这个疑情在。古人所谓："到此时行不知行，坐不知坐，不分人我，忘却身心。等同铜墙铁壁，无针缝之隙可入；恰似足立千仞，无半步之地可移。"到此疑情甩不开，放不落的境界，你不找它，它不离你，彻天彻地，只此一疑，这便是真疑现前的境界。此处又名黑漆桶子，又名疑情团子。一旦功夫相应（因缘成熟，瓜熟蒂落），磕着碰着，打破疑团，桶底脱落，囫地一声，翻过身来，抓着娘生面孔，亲见自己本来，这才是开悟境界，到家消息。

此节所说"真疑现前"与"开悟境界"，本是方便之谈。其实此处功夫，如人饮水，冷暖自知，不是用口说得出来的境界，更不是用笔写得出的东西，但本书既定名为《学禅方便谭》，不妨方便谈谈作个参考。

但此处有个简别，有等禅和，不知此处所说"真疑现前"的境界，完全是由行人日用寻常的功夫逼拶至此，如香林禅师说："老僧三十年不杂用心，四十年才打成一片。"不是一般狂慧禅者，尚未用上三天功夫，凭着自己的臆想，或是看了几则公案，便妄自夸大，以为自己的功夫到了如何程度，见着人便乱通机锋，这是禅宗切忌之事。又有一类钝根者流，不了解此处所说真疑现前，乃从自心功用，逼拶出来的境界（非下一番苦功不能到此），而乃误听人言，谓此种境界，如何神秘微妙，如何能致开悟之境，反将自己生灭念头上所起的一种相似疑情，当着是真疑现前。这是天大的错误！因为真疑现前，必有悟处，古人云："行到山穷水尽处，自然有个转身时。"若是生灭念头上所起的疑情，纵使功用相应，犹似是而非，乃属光景门头之事，并非真正无漏功用，所以古人说："须将真金多勘验，莫把鱼目混珍珠。"

又有一类狂慧者，于所见所闻之中，得知吾人六根门头，有一个无位真人，在那里放光动地，便以为日用寻常能见能闻的这个，即是自己的本来面目，不须另起疑情，更不肯死心踏地做功夫，这是大错特错的见解！须知他所知的"无位真人"和"本来面目"是属于知解一边的事，并没有亲证实见到，所谓光景门头之事，法尘分别影事，距明心见性尚隔一重须弥大山。极而言之，这等人将识神当作真的本来人，哪知起惑、造业、受报的也是他，如楚石琦禅师说："以为认得能嗅能喜能见能闻者，便是一生参学事毕。我且问你，无常到时，烧作一堆灰，这能嗅能喜能见能闻的什么处去也？"所以古人亦说："修道之人不识真，只因从前认识神；无量劫来生死本，痴人当作本来人。"又洞山禅师亦呵斥此等人，不肯用功的错误云："嗟见今时学道流，千千万万认门头；恰似入京朝圣主，只到潼关即便休。"这都是叫我们认清真妄，奋志前进，不可停滞之意，学者于此，切须留神。此处再引于頔参紫玉公案作证：于頔刺史问紫玉禅师："如何是佛？"紫呼："于刺史！"于公应"诺"。紫玉云："更莫别求。"于公似有省悟。药山禅师闻之云："可惜一位于刺史，活埋向紫玉山中。"后于刺史赴药山处求教。药山亦呼"于刺史！"于复应"诺"。药山云："是什么？"于自此彻悟。

乙，悟境浅深

疑情是功夫的过程，开悟方是功夫的最后阶段。功夫的过程，在前面各章，都已述过。此节所说正是开悟的境界，但有浅深不同的差别，所谓"大疑大悟，小疑小悟，有疑必悟，不疑不悟"，由此即知"无疑不是功夫，有疑必然开悟"。如果真的疑情现前，并不须要很久，即有悟处可见，或于一二枝香，通个消息，得到一知半解的悟境，或于一二日内，得个歇处，亦能于向上一着，有个相应的照会，但因所见不彻，所悟不深，并非大悟之境。如疑情打成一片，结成一团，在三五日内（或十日半月）忽然磕着碰着，打破疑团，爆地一声，透得关来，便是打破本参的境界。更于三五个七日（或于一二月不等）忽然桶底脱落，翻过身来，管取惊天动地，从此撤去藩篱，斩断葛藤，露出自心天真，还我本来面目，光灿灿，赤陀陀，不见一物，不少一法，是为大彻大悟之境。古人云："上与诸佛同体，下与众生同根，今日始知根之与体，亦了不可得。"又云："从此识得娘生面，更不与人作怨亲。"又云："百尺竿头重进步，十方世界现全身。"这都是说的此处开悟之境。但此事说来容易，实际行之甚难。从前有位善知识说，他做了十五年功夫，还不能得个入处，后来发愿，十年不出禅堂门，功夫才用到壁立万仞；再又五年，方得打破黑漆桶子。又长庆禅师二十年来，坐破七个蒲团，一日卷起门帘，方才忽然大悟，乃说偈曰："也大差，也大差，卷起帘子看天下，有人问我是何宗，拈起拂子劈口打。"这亦是说的开悟之事，颇非容易，凡我同参，各自努力。又上面所说开悟之时间的长短，乃是随各人宿世善根与今世用功情形而定，并非有固定开悟之期限，希阅者注意。

禅关与悟后

一般不彻底了解佛法的人，以为参禅能得开悟，便是大事已明，生死已了，从此可以成佛作祖，更无余事；其实不然，因为禅宗开悟，是悟明理性，不是修证阶位，未能称为佛法究竟，所以怀让禅师对六祖说："修证即不无，染污即不得。"圆顿教中亦说"悟证与修证"，各有分齐阶位，不能理事不分，混为一谈；而禅宗开悟者，乃属"悟证"阶位，以未涉及修证故，不能称为究竟果位，所以禅宗大彻大悟的人，还要从事事修，方有圆满果觉之位可证。此事极关重要，不可不知，兹将各种关系分别说明于下：

甲，禅宗三关

此处所说三关，并非黄龙三关，亦非楞严三关，乃近代宗门一般禅德所说之三关也。三关之名称，是第一曰本参，第二曰重关，第三曰牢关。

第一本参者，即是行人本来所参究之话头。如参念佛是谁、参西来大意、参本来面目等，都名之为本参话头。如果依着本参话头，参到疑团打破，识得念佛的是谁，参透了西来的大意，亲见娘生的面孔，这便是透过禅宗第一关，又名之曰"破本参"。

第二重关者，即是破了本参以后，又是一重关也。古人云："莫谓无心便是道，无心犹隔一重关。"又般若禅师说："更须打破诸祖重关……却向水边林下，保养圣胎。"便是说的功夫用到大开悟解，已能除去无始虚妄想心，但尚存有能所观智境界，犹未忘情绝相，故云虽说无心，犹有重关，当要依着智照功夫，参究前进，方可打得破第二重关，又名之曰"破重关"。

第三牢关者，即是破了重关之后，功夫进到最难破除之末后牢关也，古人谓之"贴体汗衫，微细之垢"，又谓之"根本无明，顶堕细障"。此关极难打破，必须摈除一切知见，使你没有开口处，亦无举念时，方与此关有相应处，如杰峰禅师云："要明己躬大事，透脱生死牢关，先须截断一切凡圣情见……"又空谷禅师功夫用到此处，亦说："忽尔悬崖撒手，打个翻身，方见孤明历历，至此不可耽著，还有脑后一槌，极是难透。"又古云："立下顶天志，冲破末后关。"都是说的此关不易打破之意。吾人若能在此命根处，揿断生死结根，当下即是清净法身、毗卢遮那的真体，亦即吾人于十方世界普现全身之时也。至此已是三关透彻之境，又名之曰"破牢关"。

三关之定义如此，而行人的悟处，则不尽同，有一悟而三关透者，有一悟而彻二关或一关者，更有一悟而犹未破本参者，此乃根据行人根机大小，及其功夫浅深而现差别者也。

乙，三关关系

前节所说三关，并非绝对有三个关口，关牢着使你不能通过之义，是因为行人功夫用到开悟时，所见境界有浅深不同的三个阶段之谓也。古人因鉴于此，遂把它立为三关，从此以后，禅宗对于开悟之事，便有了准则，善知识看你悟至何种程度，逐阶印证，亦不至笼统颟顸，贻误后学。

唯于开悟一事，也非绝对只有三个阶段，更非悟一次，即到一个阶段。如高峰妙禅师一生用功，大悟十八次，小悟无其数，由此可见"开悟"二字，不是指的某一个绝对的固定阶位。曾有人言，破了本参的悟处，相等与《楞严》的"此根初解先得人空"之境；破了重关的悟处，相等与《楞严》的"空性圆明，成法解脱"之境；破了牢关的悟处，相等与《楞严》的"解脱法已，俱空不生"之境。我对此说，虽未十分赞同，亦不完全反对，因教外别传之法，虽不必与经教强同，如有相似之处，借举作证，自无不可。所以古人亦说："法华楞严，抱本参禅，金刚楞伽，均可作证。"

这里再举两则公案，以作我对于此说之明证。从前有僧问某禅师曰："如何是本参？"禅师答曰："天王殿（寺院第一重）。"僧又曰："如何是重关？"答曰："大雄殿（寺院第二重）。"又曰："如何是牢关？"答曰："方丈室（寺院第三重）。"由此可知古人之答话，亦有阶级，似如《楞严》三空相类，意即吾人如能透得三关，便是悟明三如来藏体（楞严三空理），而为登堂入室之人也。又一僧问曰："破了本参如何？"答曰："穿衣吃饭。"又问："破了重关如何？"答曰："吃饭穿衣。"又问曰："破了末后牢关又如何？"答曰："还是穿衣吃饭，吃饭穿衣。"由此一段答话看来，又似乎没有阶位。所以古人又说："大道从来不属言，拟谈玄妙隔天渊；直须能所俱亡却，始可饥餐困则眠。"总之此种境界，唯证相应，非言说分别之所能及。古人也说："如人饮水，冷暖自知。"只此一言，可以道破一般谈玄说妙之剩语也。

丙，悟后起修

大凡谈到真实悟处，必须大开圆解，透悟三关，打开自心宝藏，直趋觉源性海，亲见本来法身，得成自性佛陀，所谓明心见性，见性成佛者是。从此可以与释迦老子共口聊天；可以偕三世诸佛，把臂同行；森罗万象，全机独露，情与无情，同圆种智，诚彻悟究竟之极致也。

但禅宗所说亲见法身，是见的"素法身"。所说见性成佛，是成的"理性佛"。因此中悟处，但是悟理，未涉事修，并非从此无事，古人所谓："大事已明，更丧考妣。"又云："不进门来犹自可，进得门来事更多。"是必须乘悟起修，发菩提心，行菩萨道，上求佛觉，下化有情，更要加功用行，广修诸波罗蜜，永处尘劳，带果而修众因，建水月之道场，作梦中之佛事，有时示作模范，接引后学入道（如六祖等垂化德风）；有时游戏神通，启发来者信根（如诸尊宿显示妙用）；集修万善福慧，断除无始无明，圆成无漏功德，庄严清净法身，成就圆满报果，复我舍那本真（即圆满报身卢舍那佛），是为禅宗参禅、开悟、修行、证果之最后阶段也。行人至此，大事已毕。

第二篇

佛教是什么

这是关于佛教的基础知识，共计四十八条，以表四十八愿。因编排次序，把"佛教是什么"排在第一条，故依之而定名曰《佛教是什么》。

自 序

我在一九五〇年过阴历年的时候，用红绿纸印了十几种宣传佛教的小条子，分寄台湾全省各佛教寺庙用作宣传，并收到很好的效果，所以在去年年底又印了有十几种，分寄各县市教会及寺庙。后来有人建议，要我把它印成小册子比较易于转递。并有许多人将这十几张红红绿绿的纸条，钉在一齐留存起来好玩，不肯分发出去，如其这样，倒不如把它印成册子看起来还来得便当。我便接受了这个意见，想把它印出来，但又想起集两年所印，不过只有二十九条东西，怎能印成册子？在今年新年内又写了十九条凑起来，共计四十八条以表四十八愿。

因编排次序，而把"佛教是什么"排在第一条，故依之而定名曰《佛教是什么》。现以助缘成熟，如是就把它印了出来，希望各教会各寺庙各宏法大德的采取，能把它重新印出各种的单条，不论大小，到处散发，广作宣传，使一般不信仰佛教的人见了易于注目，或可因此作得度的因缘，这便是作者的本意。如有人认为这册子的文字太浅俗不足识者一看的话，那只有请他特别原谅，因我这册子原是为初学佛者，或根本不信佛者所印，如要深研佛理，请另阅各种佛经，恕此册子未能全尽介绍之责是幸！

一九五二年八月台北十普寺白圣

佛教是什么

一、佛教是什么

佛教是阐明宇宙人生最高原理的真理之教，它是暗室的明灯、苦海的慈航、迷途的指南针。我们只要能真诚信仰，奉行佛教，保险能到达光明灿烂、安宁康乐的家园；享受清净无为，真常微妙的快乐，这便是佛教的真正教义。

二、佛教非迷信

佛说：是心是佛，是心作佛。佛者，觉也。凡是能彻底觉悟宇宙人生真理者，就谓之为佛。我们能信仰这种彻底觉悟宇宙人生真理的佛教，正是智者所为，岂能说是迷信？倒是那些说佛教是迷信的人，他才是迷而不悟的一分子呢！

三、佛教是消极的吗

佛说：我不入地狱，谁入地狱？他的四大弟子之一的地藏菩萨也说：众生度尽，方证菩提（佛道之义）；地狱不空，誓不成佛。这种牺牲自己，成就他人的精神，试问，世间上还有何种宗教学说，能阐扬如此积极的伟大的学理？假若我们还要说佛教是消极的话，那就等如责怪自己的父母不会生小孩子一样的滑天下之大稽！

四、我们为什么要信仰佛教

人生在世，假如没有一个崇高的信仰，那就好像一艘无舵的船，飘荡在大海中，失却了前进的方向，真是危险万分！佛教的教义崇高，理论正确。我们唯有信仰佛教，才能得到人生的指南，也才能让我们平安地到达理想的彼岸。否则，苦海茫茫，何处是我们的归宿？

五、唯有佛陀值得我们崇拜

凡是在历史上，能够受人崇拜者，自有他超人的智慧、高尚的学理、完整的道德和伟大的人格。我们的教主释迦佛陀，他为救度众生，不惜舍弃王位，十九岁就出了家，三十岁才成就佛道，苦修了十余年，说法利生历五十载之久，一生行化，从无间息，结集经典数千余卷。像这位旷古未有的伟人，是不是值得我们崇拜？

六、敬佛非同崇拜偶像

我们崇拜佛像，是表示尊敬先觉者的诚意，绝对不能与崇拜偶像混为一谈。等如我们尊敬国父孙总理一样，这难道也都是崇拜偶像吗？要知道崇拜先贤古德，为的是纪念他的人格，模仿他的品德，这决非偶像主义的做法。而我们信仰佛教，顶礼佛像，目的也是为的学佛的榜样与成就佛的道果。

偶像：有木偶，有纸偶，有泥偶之别。

七、学佛须辨别真伪

学佛的人，不要妄听三教同源，或是诸教同流的谬说，而把佛教崇高的道德，和至上的学理，给混乱得泾渭不分。佛教有三藏十二部经典，公开供人阅读，不是随便可以妄说的。须知外间所流行的一切什么宝卷、五部、六册，都是俚语邪说，一概不可相信，因为他有碍学佛的正路。学佛的人，要依据佛经上所指示的道理，信受奉行，才有自觉觉他、自救救人的成就！

八、信仰佛教才真能得救

我们在人道中做人，如其有了灾厄劫难，除了皈依佛教之外，无论你信仰什么天、仙、神、鬼，都是不能得救的，因为天仙神鬼，都系累在六道生死苦恼中，自身尚且不能解脱，何能解救他人？所以我们一旦遭遇到灾厄劫难，就只有赶快乞求大慈大悲得大解脱的诸佛菩萨，予以慈悲感应，才能解救得我们的灾难和苦恼。

九、佛教是阐明因果的宗教

佛教说：受三皈依法（皈依佛、法、僧），持五种净戒（不杀、盗、淫、妄、酒），来世为人，有福有德；一切众生，所恭敬故。这是说吾人今生修持佛法，来世必得善利。否则，今生作恶多端，来世定招恶果。这种种瓜得瓜、种豆得豆的因果定律，是丝毫不会错误的。儒家亦云，积善之家，必有余庆；积不善之家，必有余殃，也是这个道理。所以我们学佛的人，要受持皈戒，植种福慧净因，奉行佛法，获证菩提乐果，亦即此义。

十、学佛贵在有反省心

每每见到一般人，自己作了错事，不肯认错，而且总有一篇歪理，使你听了生气！因为这种人没有反省觉察的功夫，所以不知道自己的过失，真是可怜得很！像曾子的每日三省吾身，佛弟子的每日三摩其头，都是说自己每日要反省觉察，是否今天犯有过失？如其没有过失，明天当继续努力地做去。如其犯有过失，应该立即改悔，修行忏法；切不可知而故犯，或妄诋他人，致招后果。所以佛家说静坐常思己过，闲谈莫论人非；又云：各人自扫门前雪，休管他家瓦上霜，这都是叫我们洁身自爱的做人哲学。

十一、信佛的真正意愿

我们信仰佛教，不是想升官发财，做个显贵；或是长生不老，做个神仙；更不是升到天堂做个天人；而是要依着佛教的指示，洗刷心中烦恼，悟明人生真谛，做个救人济世的忠实信徒。因为世间荣华富贵，好比朝露无常；神仙天人，还要堕落生死；惟有学佛，才能达到不生不死，究竟圆满的境地。

十二、皈依佛教的准则

第一要皈依佛，以佛为师，不要崇拜天仙神鬼。因为佛是彻底觉悟宇宙人生真理的先觉者；而天仙神鬼，则沉迷六道，未脱轮回果报故。

第二要皈依法，以法为师，不要奉行外教典籍。因为法是佛陀大悲心中流露出来的救世良言，而外教典籍，则导引众生堕入偏邪知见故。

第三要皈依僧，以僧为师，不要归敬外道邪众。因为僧是奉行佛法、自行化他的人天师表，而外道邪众，则遗害众生永断善根故。

十三、信仰三宝的抱负

我们信仰救人救世的佛陀，如同信仰自己的父母，要诚心诚意地孝敬他；因为佛是福报、智慧两足之尊，他能使令众生，增长福报智慧故。我们看到佛经上所说的教法，等如奉到军政长官的命令，要绝对服从他；因为法是离欲之尊，他能使令众生离诸贪欲故。我们见到品学兼优的僧侣，亦如看见自己的亲长老师，要尊敬奉事他；因为僧是众中之尊，他能教导众生奉行佛法，为众所钦故。佛法僧三皆称为尊者，就是叫我们信仰三宝的人，要自己尊重自己，不但在社会上要做个淳善优良的人民，而且还要尊崇佛训，作一番自利利他的功夫，将永为今后末世的众生所尊重故。

十四、信佛的戒条

一、凡是有生灵性命的动物，无问大小，绝对不可杀害。

二、凡是他人的财物，哪怕是一针、一草，均不能窃取。

三、除正当夫妇外，对一切男女，均不可乱行淫欲。

四、不顺人情的妄言乱语，万不可信口胡说。

五、有刺激性的麻醉品，如鸦片、烟、酒等物，点滴不可沾唇。

十五、信佛不堕三恶道

假使对于佛教能具真实信仰的人，保证你不会堕落到地狱、饿鬼、畜生的三恶道中去；因为你若真实信仰佛教，就必须奉行佛教的教义，服务社会人群，广作自利利他的事业；不但来世不堕三恶道苦，就是目前的将来，也会获得福德智慧的善利。

十六、诵经持咒的利益

佛教的诵经持咒，不要认为是鬼神道中的一种钱币使用品，而实际上，是庄严自身福慧的一种修行法门。你若依此法门修行，一定能使你断除烦恼业障，增长福报智慧；所以凡是学佛的人，对于诵经持咒之法，必须信受奉行；因为这种法门，除了个人修持有神速成就外，并能感应到诸佛菩萨于冥冥之中，保护我们，加被我们，使我们所求皆遂！无愿不从！

十七、佛像和人心的关系

我们对于佛像的崇敬，第一是表示纪念先觉者的意义。第二对于自己的修持，也有莫大的帮助，万万不要误会是崇拜偶像，认为迷信。因为有了外面的佛像，才能引发起内心的想象，由有内心的想象功夫，才能作到内外如一的崇高人格，甚至能达到成佛作祖的愿望。这是佛教修持的一种法门，万不可作虚无不实看，所谓"有心便有佛，佛即心也"，你若说是没有佛的话，那就连我们的心也没有了！试问，你肯承认你是无心肝的人吗？

十八、佛教徒应以热忱待人

有真实信仰心的佛教徒，无论对什么人，都要抱一种热忱爱护的态度，使对方见着你发生良好印象，而容易接受你的意见和劝化；否则，在此人欲横流的时代，刚强好斗的众生，实在是难调难伏。所以佛说：我视众生，如同赤子；菩萨行化，不舍一人。奉告学佛诸君，善体此意，佛教前途，有厚望焉！

十九、学佛的人应该宽以待人严以责己

我们在社会上做人，总是愚昧自己，明察他人，到处见到人家的长短、是非、好丑、贤愚，对于自己的行为如何，却一概不知，即使知道一点，也是自屎不臭，仍旧落到我是他非的圈子里不能自拔！如眼能见人，不能自见一样。最低限度，也要原谅自己三分，这种愚痴的举动，真是可笑得很；如其不学佛法，宁有几人知此秘诀？所以我们学佛的人，首先就要回光返照，应该宽以待人，严以责己，才有向上进取的机会，和完成做人的真谛。

二十、佛教感化人的力量太大

佛教对于人生，有说不尽的利益，许多性情暴躁的人，一旦信仰了佛教，就会变得心平气和起来；纵有多疑善妒，也会使他淳厚镇静，更有一般放不下、看不透的人，自从信佛以后，也能知道人生如幻，世事无常，不像以前之处处执著了。这种感化人的力量，实在太伟大，太可贵！

二十一、大乘佛法能改善你的环境

诸位如果有志学佛，就得知道世间上的万事万物，都是幻化无常。在得意顺心的时候，不要欢悦；失意违心的时候，也不要嗔怨。只要你依照大乘佛法的指示，抱定舍己从人的宗旨，实行自行化他的主义，能努力精进做去，保证你在任何环境之下，都不能动摇你的意志，而且还能收到改荆棘为坦途，化人间成净土的效果。

二十二、佛学能改造你的行为与欲望

佛教说：行住坐卧，四大威仪（行如风，站如松，坐如钟，卧如弓）。吾佛弟子，不可不遵。这是规范吾人的行为，不要染上不良的习惯，因为现社会的一切，无论眼所见，耳所闻，身所触，意所知，无不使你趋向声色货利之中，像钻牛角一样地愈钻愈尖，愈无出路，愈觉痛苦！所以佛法教人在四威仪之中，或在一切施为时，须循规蹈矩，不可逾越。更要安贫守道，知足常乐。

二十三、佛法教你怎样做个糊涂人

古人说大智若愚，又云难得糊涂，这二句话，粗看起来，似乎有点反常，因为世间上有聪敏智慧的人，决定不愚痴糊涂，而愚顽糊涂者，决定无有聪敏智慧。殊不知世间一般人所认为聪敏有智者，正是被聪敏所误的可怜虫，处处精明强干，讨人便宜，占人上风，放不开，看不透，苦恼一生，空无所有。如其是真正有智慧的人，处处常带三分呆，不与人争，懒与人斗，知道世事如幻，有何留恋？争名夺利，又为何来？心明如镜，形像痴呆，你在这里热似火，他于那边冷如冰。此之所谓典型的糊涂人，亦即世间上之最快乐者。

二十四、佛教是感情用事的宗教吗

佛教不是单讲感情，不顾理智的宗教，因为佛教的一切经、律、论三藏所阐明的道理，都是建立在理智上的学说，绝不是虚无飘渺的凭空之谈；即使对一切苦恼众生，所发起的同情救济心，也都是由"心佛众生，三无差别"的平等真理中，所表现出来的同体大悲心。像这样悲智双运的伟大佛教，谁能说是感情用事的宗教？

二十五、学佛能妨碍事业吗

一般没有真正了解佛教的人，总在那里东猜西疑，以为一旦信仰了佛教，就会被佛教的教条所束缚，再不能在社会上发展他的事业，甚恐妨碍他已得的工作岗位。殊不知真正有事业感的人，正要利用佛教克苦耐劳的精神，和见微知著的智慧，来协助你的事业早日成功，因为佛学是教人向上的学问，他的教义中，亦充满着进取的精神，何有妨碍吾人事业之情事？

二十六、学佛不存势利心

民间有句讽刺势利眼光的流行语说：有的捧有的，狗子咬丑的。细想起来，倒也很有意思。在现社会的阶层下，宁有几人，逃出这个圈套？但是在佛教的观念上，则绝对不然；无论穷富贵贱，智愚好丑，一律劝导他信仰佛教。因为佛家说：怨亲平等，贵贱一如。不分阶级，不存势利。像这种真正平等的道理，只有我们学佛的人，才能表现得出来！

二十七、学佛不忘孝道

无论什么人，生存在世间上，总要追本寻源，不要忘掉自己的根本！假使一个人没有自己的父母、祖先，试问他的身体从何而来？教养成就，又从谁得？我们的教主，释迦牟尼佛，临到要涅槃（去世）的时候，还为他的生母摩耶夫人，说一部《地藏经》（佛教孝经），提倡孝道，以尽人子之职。所以我们学佛的人，应当遵佛遗教，孝顺父母，敬事师长，善育子孙，万万不可忘掉自己的祖宗；否则，自己将来也是会被儿孙忘掉了的呀！

二十八、信佛莫怕人反对

初学佛的人，往往要遭到别人的反对，例如妻子见着丈夫信仰佛教，害怕丈夫将来当和尚，终日哭闹不休。有的丈夫见到妻子信佛，也大为不满，时起吵闹。初看起来，这好像是个难解的问题，其实不然，只要学佛的人，抱着忍辱二字，不理睬对方反对，日久自然会平安无事。甚至对方还有被你感化的一天，这种事我们看得太多了。

二十九、信佛不要怕难为情

有许多学佛的人，对于佛教已有相当的认识和成就，但是每每见了人，不敢承认自己是佛教徒，存有一种怕难为情的心理，这是多么可笑的事！须知佛教有几千年的历史，古往今来，不知有多少国王大臣，名人智士，信仰佛教。就是现在全世界上，没有哪个国家，不知道东方有最伟大的佛教：既能自觉，又能觉人。我们既然信仰佛教，就应该负起宏法利生的责任，作一番救人济世的工作，这种工作多么光荣，多么伟大，自欣尚恐不暇，还怕甚么难为情？

三十、信佛不要怕见和尚

有许多信佛的人，每每看到和尚的生活习惯，以及服装等等与一般普通人的形式两样，便存一种害怕接近和尚的心理。他不知道和尚就是三宝之一的僧宝，僧宝的责任是上求佛法，以修净业，下化众生，令种善根。凡是信仰佛教的人，就得时常亲近僧宝，求明心地，以便成就自己学佛的道业。哪里还有真正学佛的人，害怕接近和尚的道理！不过有少数非修正业的僧人，自当别论。

三十一、学佛不是老呆子的事

一般不了解佛教的人，每每见到有知识的青年信仰佛教，就奇怪地说：你年纪轻轻，又有知识，为什么信仰佛教？意思好像是，凡有知识的青年，就不应该信仰佛教。殊不知青年人能够信佛，正有他高尚的志愿，多生的善根，和光明的前途。像我们佛教的教主释迦牟尼，他具有高超万人的智慧，和出类拔萃的勇敢，乘着年轻力健的时候，在十九岁就离开了皇宫，五年参访师友，六年雪山苦行，三十岁就成了佛道。因此当知修学佛法，不尽都是老呆子们干的事！

三十二、请你莫发小乘心

往往见到一般学佛的人，对于当前的环境感觉厌恶，每每逃避到深山古洞作个人静修的功夫，不愿与人群杂居。殊不知修学大乘佛法的人，就是要以一切人群，作他宣扬教化的对象；否则，纵使修行有了成就，也是个独善其身的"自了汉"，不能荷担如来家业，永远没有成佛的希望。

三十三、请你多拉几位朋友来信佛教

佛教徒有个最大的毛病，就是不肯拉人来信仰佛教。要知道我们的教主释迦牟尼，他在《梵网经》上说：一切

男子是我父，一切女人是我母。这种空前绝后的道理，该是多么伟大！我们既然信仰了佛教，就应当体会到一切众生，都是我们过去的父母，他们现在都是迷而不觉地正在那里起着贪、嗔、痴的烦恼，造出杀、盗、淫的罪业，将要受到地狱、饿鬼、畜生的果报。我们看到了这般众生，还能不赶快拉他们来信佛教吗？

三十四、信佛教能解除你的生死痛苦

人生有生老病死四大苦恼，等如人生的衣食住行四大要素；无论什么人，都是不能避免和缺少的。因此就知道我们做人的意义，是什么一回事。假如我们不及早回头，信仰佛教，试问何年何月，才能解脱我们的生死痛苦！佛经说：生死事大，无常迅速。若不依戒、定、慧三无漏学熏修，则贪、嗔、痴三种烦恼无由断除，生死轮回，亦无解脱之期。所以佛的教化，就是叫人修学法门，断除烦恼，解脱生死！

三十五、学佛先要除贪心

俚云，人心不满百，做了皇帝想外国。这句话是说人们的贪心没有止境的意思；因为贪的作用实在太大，只要你一息尚存，无时无刻不在那里起贪求心。贪求的对象不出钱财、美色、功名、饮食、睡眠五件事情，殊不知这个贪字是最不好的东西，佛教说贪多祸亦多，取少业即少，万般苦恼事，除贪一时了。又说财色名食睡，地狱五条根，欲灭三途苦，戒贪即无生。这都是说明贪字的为害甚大，所以我们学佛的人，首先要除掉这个不好的东西（贪心），才能了脱三途的苦因。

三十六、学佛的人不可有嗔怒心

学佛的人应当心平气和，不可妄动嗔怒，因为嗔怒心一起，马上会使你面红、耳赤、眼红、筋暴。活活变成修罗的样子，叫人看了害怕！这是什么原由？因为嗔心属火，所以嗔心起时，遍身火烧。医学上说，人们动嗔怒时，会增加赤血球的破坏，能促使人们生病与短命。佛经上说，嗔是心头火，烧遍身中物，又说，一念嗔心起，八万障门开。又云：嗔火炎炎，烧尽菩提根苗。又云：嗔为心之火，焚烧功德林。这都是说明嗔怒心的害处，不但影响到我人的身体容易生病与短命，而且还是修道人的最大障碍，它能将你所作的好事与善事，通会烧得净光。所以我们学佛的人，万万不可有嗔怒心，就是这个道理。

三十七、为人贵在能改过

古人云：人非圣贤，孰能无过？过而能改，善莫大焉。又云：浪子回头金不换。这都是说我们既然生存在这个社会上，就难免有做错事的地方，如其有了错处，就得勇于改悔；但改悔之道，却非易事，亦须有良好的方法，方始收到涤面革心的效果。如佛教的忏悔主义，说得最为彻底，佛教对于有罪恶的人，教授他先向十方三宝前，真诚恳直地发露忏悔，忏除前愆不有，悔其后业不起，所谓改往修来，重新做人。又如：以前种种，譬如昨日死；以后种种，譬如今日生，亦是忏悔改过的意思。所以我们为人不怕已作之罪，只要忏悔以后，不复更作，即不失为有志之士。

三十八、学佛的人应当多劝人不杀生命

儒云：见其生，不忍见其死，闻其声，不忍食其肉。又云：鸟之将死，其鸣也哀。这是儒家对于杀害生命的一种呼吁。佛教则首先提倡戒杀，因佛教视一切众生如同赤子，均待之以慈悲心。凡有苦者拔除之，凡无乐者与授之，这是佛教应世的本怀。佛教对于一切生灵的生命苦恼，慈心救度尚恐不暇，何肯杀害它们的性命？更何忍口食其肉？况杀害生命愈多，世间的浩劫愈重。所谓"欲知世上刀兵劫，但听屠门夜半声"，今生食他肉四两，来生还他要半斤。又云"欲免世上刀兵劫，除非众生不杀生；彼此爱惜共生存，万年浩劫从此息"。所以我们学佛的人，要将杀生害命的罪过，广作宣传，劝化一般人知道因果报应，万不可再作杀害生灵的罪业，免得来生偿还生命的血债。

三十九、佛祖不受荤腥的供物

（台湾话叫做改良拜拜）

人有恻隐之心，天有好生之德。人天凡夫尚且爱惜生物，何况大慈大悲的佛祖菩萨，岂忍众生杀害生命？更何忍众生以所杀的生命，向他供奉拜祭？每见台湾一般民众以整个的大猪大羊来拜拜，求乞保佑平安，真乃滑天下之大稽。不但是佛祖菩萨不忍见你杀害生命来供拜他，就连我们稍微具有同情心的人，也不愿你杀害生命，造作恶业来向我孝敬！这是很浅明的道理，并不难了解。奉劝一般向佛祖菩萨以及天仙神鬼拜拜的人们，只要以香花灯果供奉即可，切莫再以荤腥之物来拜祭他们，他们见你供了荤腥之物，不但不来保佑你，而且还要责备你不该杀生害命。横结恶缘，非特今生无福可求，更要将来遭受到无穷的苦果！

四十、佛教与外道的界限

佛说：三界唯心，万法唯识。这是说世出世间，一切森罗万象，都是由吾人的心识之所生起，是为佛教的本宗。若是离了心识之外，别有一个能生万物的主宰者，无论怎样说得好听，通通都是外道，因为离心说法，法在心外，心游道外，故名外道。有人问我，佛教与外道的宗旨是什么？我的答复就在心内有法与心外有法之差别耳。现在一般不了解真正佛法的人，把一些旁门左道，

71

都当着是佛教在那里崇拜，真是罪过。可是有一些左道中人，也实在可恶，他们硬把佛教的经语教义，七扯八拉地凑成他们所谓经典，教人看了堕落邪见，遗害无穷，所谓一盲引众盲，相牵入火坑，即是左道中人也。

四十一、佛陀是提倡平等自由的先觉者

释迦牟尼，当初出生在印度的时候，见到印度当时的封建制度太严格，四姓种族（王种、修道、商人、农夫）极不平等，甚至彼此不能互通往来。他对这种现象起了很大的反感，他想到既然大家都是人，而且都具有一个共同的心性，为什么有这么大的差别？这是应该要改善的。又想到我是太子身份，拘于宫庭旧习，若是站起来倡导民族平等的话，恐不可能。只有设法离开皇宫，遂于十九岁便出了家。又想到自己是个青年，缺少学问道德的成就，谁能服从我的主义，只有到各处去参访学道，足有五年之久，结果感觉所学不够，再又到雪山去苦行了六年，才修到功行圆满，亲证平等真理，成就了佛陀的果位。然后再往四方倡导，周游印度各国，首先倡导的是四河入海，同一咸味；四姓出家，共称释氏，不分阶级种族，一律平等。末后再倡导，一切众生，均可成佛的心性平等的真理。完成他提倡平等自由的愿望，而为亘古未有的先觉者。

四十二、天国与佛国之区别

一般宗教都有生天国之说，普通说天国，是指天帝释所居之天宫国界，亦即中国道家所称之玉皇大帝所居天宫国界也。又印度婆罗门教，志生梵天，亦谓天国。但梵王天国却要超过一般宗教所说天国之上；因为三界有二十八层天（欲界六天，色界十八天，无色界四天），天帝释之天国，为二十八层之第二层（佛教称为忉利天）。梵王天国，为二十八天之第九层（佛教称为初禅梵天），故比较其他宗教之志愿，要高尚一筹。至于佛教所说的佛国，如梵王天宫比较，则又有天壤之别。佛国，乃十方诸佛所证的清净国土，由修菩萨六度万行，所得圆满成就之国土。比如西方极乐世界，乃阿弥陀佛所证的清净国土，因阿弥陀佛昔在因中为法藏比丘时，所发有四十八种大愿，后来生生世世，行菩萨道，自行化他，广修万德庄严，圆成极乐清净国土。并接引信、愿、念佛众生，往生他的清净佛土。这种清净佛国，不但要超出三界二十八层凡夫天，而且尚要超过"声闻"、"缘觉"已经了脱三界生死的二乘圣人，而更要超过大乘菩萨果位，才能称得上是佛国的边缘。可惜一般不了解佛法的人，以为天国即是佛国，真是大错特错，再没有更错的事了。

四十三、学佛应修四无量梵行

佛法有四种梵行，学佛的人，应依之修持，能令众生得无量福。

一、慈无量行：凡见众生，身心感觉不快乐者，即运无缘大慈，使令众生得到无量快乐。

二、悲无量行：凡见众生，身心遭受痛苦者，即运同体大悲，救拔众生脱离无量苦恼。

三、喜无量行：凡见众生，能返迷归悟，改恶修善，乃至有毫发良好行为者，应视之如赤子，即生庆喜之心。

四、舍无量行：对于自己所修以上三种功德，不存一念着相之心，对于他人，无论好坏善恶，怨亲平等，不起一念憎爱之心。

佛教阐扬此法，是以救度众生为己任，即使毁谤我者，亦以慈悲心待之，以冀他日作得度因缘。不比其他宗教，善于妒嫉，不耐他荣，或着人我知见，争长论短，希真学佛者，注意及之。

四十四、佛教度人的四法

我们学佛的人，不但只求自利，而且还要化度他人，因为佛教大乘法义，是以化度众生为己任；但化度众生，亦有四种方法不可不知，兹说明如下：

一、布施法：所有钱财法物，资生之具，一切所有，尽给前人，平等舍施，不分怨亲。

二、爱语法：凡是待人接物，要和颜可亲，以慈爱语，悦可众意，使人一见生欢喜心。

三、利行法：以其所修功德，回向众生，离苦得乐，自度度人，造福社会，利济人群。

四、同事法：与众同谋同行，共苦共甘，融洽感情，增进亲善，所有教化，乐意接受。

四十五、佛陀是宗教的革命者

印度最早的宗教是婆罗门教，它的创立有数千年之久。所奉行的经典，是"寿"、"词"、"平"、"术"四韦陀（明智）典，除说明世间万物均为梵天所生之外，并从梵天生出印度的四姓种族。他们说从梵天口中生出婆罗门（净裔）种，其形最净，故曰净裔。从梵天两臂生出刹帝利（王族）种，以其两臂有力，故曰王种。从梵天两肋生出毗舍（商贾）种，以其两肋平身，故能往来自如，是为行走的商人。从梵天两脚生出首陀（农夫）种，以其两脚最能奔劳，故为劳动的农夫。能生之处既有上下之分，所生四姓亦应不等，故印度四姓阶级制度之不平等者即此义也。佛陀出世，见到婆罗门这种不平等的理论，深表不满，如是倡导心佛众生，三无差别的真理，发明三界唯心作，万法依识起的学说，打破婆罗门教从梵天生四姓的种种谬计，更推翻了四姓阶级不应平等的邪说，解脱了一般文化思想的束缚，使之得到佛陀道德学说的洗礼与启示。

四十六、佛教各宗派之介绍

佛教传来中国之后，盛行于隋唐之间，又因古德精心研究，极力提倡，遂将大小乘经论、教义及修持方法，发挥创立十种宗派，随众生根机欲修何宗，即依何宗经论研究，或求各宗大德指示之，自得入门之径。

一、俱舍宗——依《俱舍论》，发挥"教理行果"摄持所依之法相，亦名小乘有宗。

二、成实宗——依《成实论》，发明四谛五聚实义之意，亦名小乘空宗。

三、三论宗——依《中论》、《百论》、《十二门论》，破凡外权小迷执，阐发大小乘真理，亦名性空宗。

四、律宗——依《五部律》中《四分戒》、《五分戒》及《弥勒戒》、《梵网戒》大小乘戒律，规范修道者的行为与品德。

五、天台宗——依《法华经》，判佛一代说法为"藏通别圆"四教，及修持三止三观法门。

六、贤首宗——依《华严经》，判一代释教为"小始终顿圆"五教，及六相、十玄、三观等法门。

七、慈恩宗——依《成唯识论》，阐明万法唯识之旨，宗修五重唯识观。

八、密宗——依《大日经》、《金刚顶经》建立两部曼荼罗，修法重身口意三密相应。

九、净土宗——依《阿弥陀经》、《大本弥陀经》、

76

《十六观经》，阐明发愿念佛求生西方之法门。

十、禅宗——依世尊灵山拈花，迦叶微笑，以心印心，教外别传，直指人心，见性成佛，又名心宗。

四十七、佛陀说法的时间及其类别

佛陀一代所说之法，大致分为五个时期：

一、说《阿含经》有一十二年，对一般人天凡夫所说，使其转凡成圣。

二、说《方等经》有八年，对一般小果圣人所说，使其回小向大。

三、说《般若经》有二十二年，对已发大心众生所说，使其融通大乘真理。

四、说《法华》、《涅槃》等经共有八年，普为一般众生说圆顿大教，使其授记作佛。

五、最初说《华严经》只有三七二十一天的时间，此经全为大乘菩萨所说，根机小的人，都不曾听到，所谓华严大教，权小不闻。此约竖说分有五时五部。

统此五十年所说之法，总分为经、律、论三藏；又将此三藏法，复划为十二部门：（1）长行；（2）重颂；（3）授记；（4）孤起；（5）无问自说；（6）因缘；（7）譬喻；（8）本事；（9）本生；（10）方广；（11）未曾有；（12）论议。此约横论，分为三藏一十二部。总计以上佛陀所说之教法，翻来中国者将近万卷之多，各处大寺庙及图书馆均有佛教藏经，我们可以随意阅读。但外间流行什么五部七册，都是龙华、天仙、神鬼教之邪说，切不可看，看了受害不浅。

四十八、佛教修学程序及证果位次

佛教学佛的程序有三：一、先受三皈、五戒，再修十善，是为修世间人天乘法。二、进修四谛、十二因缘，是为修出世间小乘法。三、再修六度万行，是为修出世间大乘法。兹分述之如下：

甲，三皈：（一）皈依佛陀；（二）皈依经法；（三）皈依僧众。

五戒：（一）不杀生；（二）不偷盗；（三）不邪淫；（四）不妄语；（五）不饮酒。

十善：（一）不杀生；（二）不偷盗；（三）不邪淫；（四）不两舌；（五）不恶口；（六）不妄言；（七）不绮语；（八）不贪欲；（九）不嗔恚；（十）不愚痴。

凡修以上三法者保证来生能得人天果报，现世亦能修身、齐家、治国、平天下。但不能了脱三界生死轮回。

乙，四谛：（一）苦谛，苦是世间生死苦果；（二）集谛，集是过去烦恼业障；（三）道谛，道是三十七品道法；（四）灭谛，灭是断去烦恼所证真理。

如能知苦断集，慕灭修道，即证阿罗汉果位。

十二因缘：（一）无明；（二）行；（三）识；（四）名色；（五）六入；（六）触；（七）受；（八）爱；（九）取；（十）有；（十一）生；（十二）老死。

凡修此十二因缘还灭门者，能证缘觉果位。此二为小乘果，又为二乘果。

丙，六度：（一）布施所有财法；（二）受持三聚净戒；（三）忍辱顺逆诸境；（四）精进修持佛法；（五）修习各种禅定；（六）启发真实智慧。

依此六度法门，进修万善功德，庄严菩提果觉，修至功圆果满时即成佛道。因菩萨是因位，佛为果位故。是为出世间大乘法。

第三篇

宗教通说

　　《楞伽经》云："自觉圣智为宗，为他说法为教。"教出佛口，宗传佛心，心口不可互异，宗教原无不同。真实行人，对宗教二门，正好相辅并行，未可偏执，以宗为道之本，教为道之迹，以教通宗，阐明教禅不二之旨趣；以宗融教，亦阐明宗教一致之原理。故定名曰《宗教通说》。

宗教通说

中国佛教在盛唐时代，各宗并行，互不妨碍，且彼此阐扬，相得益彰，如贤首国师（华严三祖）、道宣律师（律宗初祖）之参加玄奘法师译场，玄朗大师（天台七祖）、宗密大师（贤宗五祖）之终身提倡禅宗，均为当时无宗派分歧之明证。后来因唐武宗摧毁佛教，以及五代时战乱频仍的影响，佛教横遭破坏，几已荡然无存。在此时期，虽禅宗尚能绵延不息，传承未绝，然而多是闭户潜修，未能恢复丛林规模。直至赵宋统一中国，社会始得安定，如是潜隐深山之禅宗大德，多出而振兴佛教，重建丛林（大寺庙）。其所建之丛林，多定名曰某某禅寺；且寺中规约，均是依禅宗派系所订定（禅宗派系有五家，即临济、曹洞、法眼、云门、沩仰是也。五家中唯临、曹二家并秀，传绵最久）。由斯宗门竞起，禅风大振，号称天下一家。纵有提倡各宗之大德出生，亦多依傍于禅宗丛林之内，如大丛林内，除禅堂外，尚有讲经堂、念佛堂，及传戒公堂。所谓宗教并行于一寺，尚未有彼此间的严格差殊。其后，专宗行人，常以所禀承之法门为己任，因此各自倡导，专扬己宗，于是遂有宗教同异之比较，甚至有长短是非之互诤，由是引起后人许多纠纷，至今此风未尽泯息。有曰：佛教各种宗派，均系佛陀亲口所说，何得有互相水火之争论？曰：此皆由于不了解佛教之体系所致。如能融会宗教各家之旨趣，原是一法，自无长短优劣之差异，所谓"归元无二路，方便有多门"。到家之说，固无所谓谁是谁非也。至各宗行人而有彼此分歧之见者，盖以众生根机不一，宿因有差，有适于禅者，有适于教者，是则各有所本，各尊所宗，理所当然。虽然如是，但亦不得有所偏执，妄加抑扬。如有生寒热各症之病者，自须各以对症之药除之，不得以祛热之药为是，而诽谤祛寒症之药为非也。兹为作进一步说明起见，特分段详述于下：

一、宗说

所谓宗者，尊也，主也，要也；谓自己尊崇自己之主张与要旨也。宗门者，乃各宗法门之谓也。所以宗门二字，原为诸宗之通称，后由禅宗独称宗门，其余诸宗，则统称教下，于是遂有宗教两家之名并行于世。至禅宗何以独称宗门，而不直呼曰禅者？盖以禅有多种，有世间禅（四禅八定），有出世间禅（九想、八背舍等），有出世间上上禅（九种大禅及实相禅、念佛三昧等），以上皆为如来所说之禅，故统曰如来禅。更有不立文字、教外别传之祖师禅（即宗门禅）。此禅自灵山拈花，达摩西来，单阐向上一着，直指人心，见性成佛为宗旨。因恐与如来禅混名，故不同名曰禅，而独称为宗也。

《楞伽经》云："佛语心为宗，无门为法门。"是知自心法门，即是宗门也。又宗者，总持之谓。以此宗法，即是心法，能一切世间出世间法、凡夫圣人法、有情无情法，无不包括殆尽。又此宗法，并非他有，只在当人分上（即自己的主人翁）。苟吾人一念回光，当下即是，不但包罗万有，而且妙用无穷。故古德云："有一无位真人，在汝六根门头放光动地。"在眼曰见，在耳曰闻，在手捉持，在足运奔，乃至搬柴运水、穿衣吃饭，无不是这主人翁的全体妙用，岂奈吾人不肯直下承当，当面错过，殊为可惜耳。宗门一法，在隋唐时古德提示，只须一言半句，即可当下成功，或见色闻声，了明大事；或一棒一喝，顿彻心源。宋明以来，宗门大德多提公案话头，令人参究。由此参话头之风，普遍遵行。至参究之要着，重在起疑情；须知此疑，非教下所说之疑。教中所说之疑，乃六种根本烦恼之一。宗门疑情，乃吾人超凡入圣之要门，成佛作祖之捷径也。至于起疑情之方法，即是从不明白处下手（如云门饼、赵州茶、西来大意、本来面目之类），须在不明白处找到个水落石出，这便是禅宗功用的妙处。明万历后，天下学人，多参"念佛是谁"公案，直要明白那个念佛的人真实是谁，方名彻悟本来面目，透过本参一关（尚有重关及牢关并称为禅宗三关）。由此禅宗起疑参究之法，定为宗门用功之殊胜方便，迄今仍沿用之。

二、教说

所谓教者，圣人被下之言也。如来所说三藏十二部教典，全为指示众生本元自心之用，除此更无余事。古德云："佛说一切教，为示众生心；若无众生心，何须如来教？"是知如来言教，离众生外，本无何法可说。如来亦亲口宣言，吾说法四十九年，不曾道着一字，亦即此义。虽然如此，我释迦如来金口所宣之言教，究作如何指示？殆皆为对治众生生死重病之药方也。如果众生无病，则三藏十二部，可以抛在脑后。如众生有病，则三藏十二部教典，必须广为宣扬，方可拯救众生于生死沉疴中也。又就众生方面来看，倘若众生无病，就不成其为众生；世界上众生既然有病，就需要有药医治，当知教之可贵者在此。

中国自隋唐以来，真能代表教门弘扬如来一代时教者，首推天台、贤首两家，后人讲经说法多依之为圭臬（考当时教门，尚有唯识、三论二家，唐以后不见多传，至晚清唯识宗方由日本传回。此外尚有律、净二宗，虽重行持，亦摄在教门，此处不拟详说）。天台宗依《法华经》判如来一代时教为藏、通、别、圆四教。藏教即小乘三藏之教，通教谓能通大乘之教也，别教乃别于小乘之纯大乘教，圆教系圆赅万法、具足一切之教也。天台宗即依此四教，作阐扬佛教之蓝本。贤首宗依《华严经》，判如来一代时教为小、始、终、顿、圆五教。小教即天台三藏小乘之教。始教为大乘初门，亦即天台通教之义。终教乃大乘极则，亦同天台之别教。顿教为顿超之意，能摄禅宗之机。因贤首晚出，故特创立此教，包括顿超之机；而天台判教时，禅宗在中国尚未兴盛也。贤首之圆教，亦同天台圆教，圆含一切。以后天台诸师即以顿超之教，摄归圆教之内。兹以台、贤二家所判大小顿渐之教，列表如下：

```
天台四教   贤首五教
 藏教——小教
 通教——始教
 别教——终教
              ⎧顿教
 圆教——⎨
              ⎩圆教
```

又考隋唐阐教诸大德，每于讲经说法时，多提倡各宗所修观门，如天台、贤首各有三观修持法门。晚唐以后，教门修行，多以禅净为归宿，并少见有修习观门者。不过教门大德，均以发大乘心，化度众生为职志，对如来经教，只要有处可讲，有人愿听，不计得失，不惜牺牲，总以利生为怀，宏教为本。

三、宗教异说

《楞伽经》云："自觉圣智为宗，为他说法为教。"此为后来分宗分教之焦点，中国佛教自有宗门、教门之分后，不无各立门庭，各扬己宗，以致更有互相诽谤之情事发生，如宗门人轻视讲教者，谓"教壳子，图口快，不如修行得实惠"。又讥为"跛子追强盗，能说不能行"。又云："纵使说得一大藏教，只许是个背药方的郎中，等到自己生死大病到来，一生所讲经典，不能医治，满肚佛法，亦均用他不着，所谓说食不能令饱，画饼焉能充饥？任是说得天花乱坠，终与自己没有交涉。"又云："教下说得一丈，不如宗门行得一寸。"以宗门禅德，不善夸张，默然自契，点地实行，不但首舍一切语言文字，即佛经祖语、诸德著述，应一舍干净。若是舍他不净，即名杂毒入心，最能障碍道念。如能做到"言语道断，心行处灭"时，非但超凡入圣与汝有分，乃至成佛作祖，甚且超佛越佛，亦只在汝语断心灭之时，所谓"妙高顶上，从来不许商量，第二峰头，诸祖略容话会"。此即宗门有异于教门者也。

至讲教者，亦往往诋诽宗门曰："学禅人，不求知，糊糊涂涂过一世，口头说的是参禅，关着禅房打瞌盹。学机锋，充能手，谈起佛法横摆头，坐起香来打妄想，跑进斋堂作饭桶。"如此禅和，不若教门中人，将一生所学所解者尽量发挥，终身不懈，本着僧宝之职责，以利生为事业，以宏法是家务；不但此生如是行去，即尽未来际生，亦如是行去。所谓："自未得度先度人者，菩萨发心。"况教门中人，置身教海，研之钻之，潜移默化，自可言言见谛，句句归宗，现生虽不能证入佛地，亦是大心人应世，弘扬正法，化度众生，乘愿再来，永作人天师表。此即教门有异于宗门者也。

四、宗教通说

宗教二门，果相异而不相通耶？非也。真实行者，对宗教二门，正相辅并行，未可偏执，以宗为道之本，教为道之迹，如唐圭峰宗密大师之《禅源诸诠集都序》，以教通宗，阐明教禅不二之旨趣；宋永明延寿大师之《宗镜录》以宗融教，亦阐宗教一致之原理。是知真参禅者不能废教；真说教者，未必非禅。不废教者，以教为指示心要之标指，又为证明心宗之法印，如达摩大师以《楞伽》印心，慧能大师以《金刚》印心者是。不非禅者，以禅为实践教示之旨趣，又为圆成教门之极则。苟说教人，能依教观心，息心达本，体显而用亦彰；参禅之人，彻悟心源，一法通时万法通，宗明而教自通。宗明者自悟彻底，离言绝思者是。教通者，说法自在，施教利生者是。我辈学人能宗教俱通，体用双彰者，堪称为大宗师、大法师。此正相辅而相成，宗教原无二致也。

据印光大师说："如来说经，诸祖造论，宗教二门，原是一法，从无可分，亦无可合，随机得益，随益得名。

上根一闻，顿了自性，同修道品，即名为宗。中下闻之，进修道品，渐悟真理，即名为教。及至像季，法流此土，人根聪利，多得闻持，衲子本分，向上一着，实悟亲证者少，说食数宝者多，以故达摩大师，特地西来，阐直指人心之法，令人亲见本来面目，然后看经修行，方知一大藏教，皆是自己家里话；六度万行，皆是自己家里事。是宗之解悟为目，教之修持为足，非目则无由见道，非足则不能到家，是宗教之相需而不相悖，相合而不相离也。"

又《来果禅师语录》亦云："禅宗教外别传一法，由凡夫顿同佛体，不落圣凡阶渐，超佛越祖，直透法身之大法。何以？未悟以前，不与教乘合，全教即宗；大悟以后，不与宗乘合，全宗即教。不与教合者，正用心时，扫一切法，离一切心，绝语言，空文字，专办己事，何教之有？此名教外别传之宗。不与宗合者，发明以后，立一切法，发一切心，随机利世，何宗之有？此名宗外别传之教。又宗外教外，互相别传，不容互谤。宿植教因，闻教生欢。宿植宗因，闻宗生信。教因感发，必喜听教弘经。宗因感发，必喜修禅习定。前种之麻，今必得麻，无复豆也。尚望有志之士，闻得教外别传，也尽力赞扬；教内同传，亦尽力赞扬，方许免遭谤法之愆。否则，不但毁后果，正是毁前因，因果俱毁，感报之恶，令人吐舌！"今举二老之言，证知宗教二门，殊途同归，而且法法平等，无有高下。吾辈学佛人，随机摄受，一门深入固好，兼修并学不为偏废亦未为不好，只是不犯浅尝辄止、见异思迁的大病，就无适而不自得矣。

附：问答三则

问一：宗教二门，有何同异？其修证之阶位，可互通否？

答：教出佛口，宗传佛心，心口不可互异，宗教原无不同，第以众生机根不一，宿因有差，有宜于习宗者，有宜于学教者，各本所修，专扬己宗，原无不可。只因不明佛教整体，遂致各立门户，互相是非，此为可怜愍者。真实行人，对宗教二门，正好相辅并行，未可偏执，以宗为道之本，教为道之迹，如唐圭峰宗密大师之《禅源诸诠集都序》，以教通宗，阐明教禅不二之旨趣；宋永明延寿大师之《宗镜录》，以宗融教，亦阐明宗教一致之原理。是知真参禅者，不能废教；真说教者，未必非禅。不废教者，以教为指示心要之标指，又为证明心宗之法印，如达摩大师以《楞伽》印心，慧能六祖以《金刚》印心者是；不非禅者，以禅为实践教示之旨趣，又为圆成教门之极则。苟说教之人，能依教观心，息心达本，体显而用亦彰；参禅之人，澈悟心源，一法通时万法通，宗明而教自通。宗通者，自悟彻底，离言绝相者是；教通者，说法自在，施教利生者是。学佛行人，能宗教俱通，体用双彰者，堪称为大宗师、大法师，此正相辅而相成，宗教原无二致也。至二门修证之阶位似亦有可通者，惟宗门不立文字，对功夫无名句之规定，姑以禅功三关，对学教进程作一对比，此意前文第六章中已略言之，兹再将《法华》、《楞严》二经之阶位，合并比照如次：

（一）破本参关，禅宗又名打破当面关，略当教中之破分别我执，天台之破见思烦恼，《楞严》之"此根初解，先得人空"，皆与破本参之境界相类似。

（二）破重关，禅宗又名打破金锁玄关，略当教中之破分别法执，天台之破尘沙烦恼，《楞严》之"空性圆明，成法解脱"，皆与破重关之境界相类似。

（三）破牢关，禅宗又名打破末后生死关，略当教中之破俱生微细二执，天台之破无明烦恼，《楞严》之"解脱法已，俱空不生"，皆与破牢关之境界相类似。

以上所举，系属大概，未可坚执，盖禅宗三关之名，虽如此规定，但行人之悟境，则不尽同，有一悟而连透二关者，有一悟而齐透三关者，未若教下之分破分证，循位进修，此又顿渐之不同矣。

问二：禅净双修，是否人人咸宜？如或未然，应专修何宗？

答：禅（晚近所谓禅，多指参公案话头）净（所谓净，多指修持名念佛）双修（所谓双修，多半劝参禅人应兼修念佛）为晚近学佛者最普遍之行门。吾人乍闻其说，似觉十分稳当，但细察之，实不如此简单，一者，念佛须仗他力，参禅全仗自力；二者，念佛须向外求（须信娑婆世界以外，确有一西方极乐世界，彼世界中，确有一阿弥陀佛，现在说法），参禅则从内觅（心外无佛）；三者，念佛未免着相（弥陀好相，极乐庄严相），参禅必须离相（说似一物即不中）；四者，念佛首重信心，参禅最贵疑情；五者，念佛须有欣厌（欣极乐、厌娑婆），参禅须绝好恶（放下万缘）；六者，念佛须用心口意念，参禅须离心意识参。有如此种种不同，欲其双修并学，是否所宜，大须考虑。然则禅净固不宜双修欤？曰：是亦不然。考此说起于永明延寿禅师，自《四料简》出，一反宗门之原来作风（念佛一声，要罚水洗禅堂），当时奉行其说者，盛极一时，后世诸大宗师兼事念佛者，亦代有其人，吾人似不应更有多说。不知永明及诸大宗师之兼修净业者，无不在其发明心地以后，再事念佛；盖大事既明，心同佛心，十方净土，不离当念，诸佛既均欲承事，弥陀岂独不愿亲近乎？然当其未悟之时，固未尝不一门深入也。人徒见大宗师兼事念佛，未见大宗师专心修禅，遂以为禅净二门，可同时并习，等量兼修，则误矣。是故双修之法，并非不宜，但必须有先后之分，主辅之别，否则恐两无所成也。然此犹系钝根人之作略，若遇上上根人，参禅则一念不生，念佛则一心不乱，参也如是，念也如是，心本一心，原无可二，双修之说，直戏论耳。

至二宗究应专修何门，此须视学人之根机而定。大凡具实信者，宜于学净；好思辨者，宜于参禅。此中仅有宜、不宜之分，而无善、不善之别。佛说八万四千法门，门门可以入道，说禅说净，无非对机所说之教，机教相扣者，事半而功倍；机教不契者，徒劳而无补，何去何从要在当人之审慎明辨耳。举例明之，佛在世时，有一吹银者与一担秽者，二人发心修行，请求一修道人指示修行方法，该修道人不善识机，教吹银者修不净观，教担秽者修数息观。二人奉行日久，不得成观，遂同往佛所问故，佛知二人法不对机，教其对调修法。因吹银者惯用呼吸，故教其改用数息观，一用即成；担秽者常存污想，故教其改修不净观，亦不久修成三昧（《涅槃经》卷二十六佛说舍利弗度二弟子说法颠倒，与此传说略同）。是知法无优劣，对机者胜；药无好坏，对症者良。所以文殊菩萨在楞严会上说："归元性无二，方便有多门，圣性无不通，顺逆皆方便。"职是之故，我等究系何种根机，应修何种法门，具眼师家，虽亦可指点一二，但仍须自己抉择。如其行门既定，必须一念万年，其或轻听人言，朝修夕改，则是"狐埋而掘之，是以无成劳也"。

问三：默照能否开悟？是否见性？

答：禅宗彻头彻尾，是一句话头，从话头上起发参究的疑情，由大疑深疑，而获得大悟深悟，这是参禅的唯一要诀。若夫空默观照，虽亦算是功夫，但既无疑情，自不参究，徒然空观默照，难免鬼家活计，所谓冷水泡石头，正是指的此种功夫，以言开悟，驴年也不可得。南宋大慧杲禅师痛诋此种以默照为参禅者曰："一般士大夫学禅，多是掉举；而一般默照邪禅人，见士大夫为尘劳所障，方寸不宁帖，便教他休去歇去，寒灰枯木去，冷湫湫地去，将这个休歇人，你道休歇得么？殊不知这猢狲子不死，如何休歇得来！这来为先锋，去为殿后底不死，如何休歇得来？"又云："有一种剃头外道，自眼不明，只管教人死獦狚地休去歇去。若如此休歇，到千佛出世，也休歇不得，转使心头迷闷耳。"是知参禅能否开悟，端赖疑情之能否现前；无疑情而求开悟，是蒸沙作饭耳。

开悟与见性二者，一向含混并称，实则意义有别，不可不辨。夫见性乃亲见自性全体之谓，开悟但理性之开解了悟耳，故开悟不即是见性，而见性必包括开悟。此如有人，自己衣里系有明珠一粒，不自觉知，及经他人说出或自己摸索，觉衣中确有此珠，但尚未及亲见，此但名为开悟。一旦破衣出珠，光辉夺目，亲见明珠全体，始可名曰见性。又如天上明月，为层云遮盖不能显现，若遇微风吹动一层浮云，月虽未现，微光已露；再遇大风吹散重云，虽未即见月之全面，已见月之光明显著；更遇巨风吹尽云层，则现出一轮皓月，长空一色，炯照万方，有目共睹，遇水即映矣。此中月喻自性，云喻无明，风喻禅功，天即性天，自开悟而至见性，即喻可明矣。惟宗门中人，对见性与开悟之说，似极含糊，有时称开悟，有时亦称见性，其故因早期禅宗，惟教人明心见性，不重禅定功夫，盖一悟彻底，不落阶位，如马祖之"自从胡乱后，三十年不缺盐酱"是也。后人根机不等，悟处亦有浅深，如高峰妙祖之大悟十八次，小悟无数次是也。祖师们为划清悟境，乃建立三关，但于开悟与见性之名称，仍未规定，严格说之，即使破了本参与重关，均未能彻见本性，只能说是开悟；直到跳出末后牢关，打破无明窠臼，方得称为真见性也。

禅宗史论

一、禅与禅宗

禅为梵语，具称禅那，华言曰定，或翻静虑，或思惟修等。禅为佛教三无漏学（戒、定、慧）之一，不仅修出世法者所必学，即修世间法，非禅亦不能入天界。故其种类繁多，大别之有凡夫禅、二乘禅、大乘禅、最上乘禅之分。厌人间苦，欣天界乐，依四禅八定而修得天福者，此凡外禅也。畏生死，求解脱，断烦恼之障，悟我空之理，灰身灭智，直取涅槃者，此声闻、缘觉之二乘禅也。以菩提心为因，大慈悲为本，依一乘教，修三摩提（禅定、三昧），直至二障（烦恼障、所知障）齐断，二空（我空、法空）全彰，不着生死，不住涅槃者，此大乘菩萨所修之禅，亦即如来禅也。以上均名为禅，但不名禅宗之禅。禅宗者何？不立文字，教外别传，直指人心，见性成佛。修是宗者，虽终日晏坐，不见片刻静相，四时操作，不见一毫动相，兀兀腾腾，圣凡情尽，才一举心，天地悬隔。悟此不假外求，无待修证，人人本具，个个现成者，为最上乘禅，亦曰宗门禅。又有对如来禅言，而称祖师禅者。唯宗门禅方名禅宗，其余不以宗名也。

二、禅宗略史

印度时期：《大梵天王问佛决疑经》有一段记载："世尊在灵山会上，拈花示众，众皆默然，时惟迦叶尊者，破颜微笑。世尊曰：'吾有正法眼藏，涅槃妙心，实相无相，微妙法门，不立文字，教外别传，如今付与摩诃迦叶。'"因是迦叶乃为禅宗初祖。迦叶传阿难，阿难传商那和修，由是祖祖相传，至二十八祖菩提达摩，观震旦多大乘根器，乃航海东来，是为中华初祖。印度自此不传。在此一时期中，因印度不重记载，诸祖行履，难以详悉。今仅知祖师名号及传法偈，载《佛祖心灯》，余不可考。惟有二事切须留意：（一）印度二十八世，均系单传，绝无傍出，祖师于付法后，多即入寂，或不知所终，不若吾华之龙象盈庭，广燃心灯也。（二）禅宗在印度并未离教独立，诸祖虽为禅宗祖师，同时亦为三藏（经、律、论）大德，宗教并宏。其中最著者为十四祖龙树尊者，以一身兼八宗之祖，为佛灭后第二五百年间最杰出者，后世于部派佛教外，得知尚有大乘教义，谓为尊者一人之力，未为过也。

中华时期：《传灯录》载达摩于梁武帝时来中国，由广州至金陵，因与武帝问答不契，遂渡江至嵩山少林寺，面壁九年。后遇志切求道、立雪断臂之慧可，始传衣法。可传僧璨，璨传道信，信传弘忍，忍传慧能，即六祖也。自达摩至弘忍，授受之际，均以《楞伽经》印心。忍祖以《楞伽》名相繁多，易起分别，乃改付《金刚经》，并戒"衣为争端，止汝勿传"。以上为中华禅宗初期递传之大略情形。吾人必须注意者，禅法传至中国后，虽已单独立宗，但列代付法时，仍以《楞伽》或《金刚》印心，是以禅宗虽称教外别传，实未尝背经臆造，不可不知。

六祖以居士身在黄梅（五祖弘忍处）得法后，即回至广东；但以时机未熟，隐猎人队中甚久。后至广州，因僧论风动幡动，祖略予开示，众僧惊异，祖乃实告，遂即披剃，现比丘相。旋至曹溪开堂说法，大弘即心是佛、悟心成佛之旨。时有曾充黄梅首座之神秀，亦在北方弘禅，惟其法尚渐修，与能祖主顿悟者不同。时人号称南能北秀，俨然对峙；然渐教不久即息，禅宗正统仍以曹溪为归。曹溪法缘极盛，得法弟子四十三人，尤以青原行思、南岳怀让为特出。行思曾充首座，后回江西青原山；怀让事祖十余年后，始回南岳；各扬曹溪宗旨。青原下出一石头希迁，迁传药山惟俨及天皇道悟。俨再传至洞山良价，价传曹山本寂，父子共成曹洞宗。悟传龙潭崇信，信传德山宣鉴，鉴传雪峰义存，存传云门文偃及玄沙师备。偃即云门宗初祖。备三传至法眼文益，即为法眼宗初祖。南岳下得一马祖道一，一传百丈怀海。马祖创丛林，百丈立清规，后世参学禅和得以挂搭安居，而宗风因之大振，二祖之功不可没。海传沩山灵祐及黄檗希运，祐传仰山慧寂，合称沩仰宗。运传临济义玄，即成临济宗。达摩预记之一花五叶，亦有谓即上述之曹洞、云门、法眼、沩仰、临济五宗。至宋时临济门又分出黄龙慧南、杨岐方会二派，故亦有称为五家七派或七宗者。中国禅宗发展至此，已达顶点。

五宗虽同出曹溪，但门庭设施各有不同，曹洞尚回互，沩仰贵邃密，临济主陡彻，其他云门、法眼，亦各立纲宗，不可混乱。五宗成立，以沩仰、临济、曹洞较早，云门次之，法眼最晚。沩仰于唐末即灭，法眼于宋初亦灭，曹洞亦就衰，云门至北宋亦不传，但临济一宗，绵延至宋末，忽臻隆盛。历元、明、清一脉相延，至今不绝者，惟曹洞、临济二宗耳。以上系按五宗血脉，略叙承传，当时与各祖齐名之大德，不知凡几，因其不属五宗法统，均未叙及。晚近太虚大师有言，"中国佛教之特质在禅"，"天下丛林概称禅寺"，"临济子孙遍天下"，皆为佛门公认之事实。中国禅宗发展之盛与其影响中国文化之大且著者，可概见矣。

三、作略（作风）变迁

契理契机为说法要则。宗门尤重机教相扣，否则瞎却眼目。六朝初唐，人之根性较厚，言行一贯，故诸祖应机接物，概用寻常语话，如二祖乞达摩安心，摩云："将心来，与汝安。"祖云："觅心了不可得。"摩云："我与汝安心竟。"即印可付法。三祖见二祖时，问答全同，只将觅心改为觅罪，二祖亦即付法。四祖向三祖求解脱，三祖云："谁缚汝？"四祖答："无人缚。"三祖即云："既无人缚，何更求解？"四祖遂悟，不久亦传衣法。六祖门庭最盛，门下弟子四十余人，平日问答，亦语语坦率，直显心要，有《坛经》可考。再看六代祖师传法偈，皆用地、种、华、生、不、无等字样，望文解义，无非说些缘起性空之理，别无秘奥。故自达摩至六祖一期的宗风，可以"平实"二字概括之。

唐宋之世，文明日进，人事既繁，根器亦杂，倘一律以平实接人，万不足以应群机。具眼师家，不得不另出手法，别立风规，于是除平实言句外，更有所谓机锋转语，问非意测，答出常情，一字迟疑，丧身失命；更有不藉言辞，以动作表示者，如扬眉瞬目，竖拂擎拳，或绘图相，或焚太极，或当面灭烛，或转背呼名，随机施展，殊乏定则，要则剿绝情根，使其当下透脱，狠心辣手，杀活同时。此际善知识如麻似粟，莫不心存佛慈，手提恶棒，作人天之眼目，实救世之医王。后世道眼不明，见地未彻，不自愧悔，妄欲效颦，盲喝瞎打，害己害人者，又岂上来祖师初愿所及料哉！

五代之时，元明之际，频遭乱世，上受异族之统治，下遭儒道之非难，诸大德为法惜身，乃相率入山，韬光匿迹，以全慧命。此时宗门原来作风，如棒喝机锋等，皆不适用。善知识为适应时会，不得不另觅途径，于是参话头之法乃大兴。考此法实开端于六祖。祖告慧明曰："不思善，不思恶，正与么时，那个是明上座本来面目。"此为参话头之第一模范。惟彼时参禅，尚多其他法门，话头一法，犹未普遍采用，直至大慧宗杲、高峰源妙诸师，始专以话头接人。其法择一毫无意义，或半有疑意之语话，而究其所以。因不明所以，乃发起疑情。由大疑深疑，而得大悟深悟。元明来诸大德语录中，均有开示。其最详尽者，厥惟《博山警语》一书。此书上半部详示话头提不起之病，下半部更示话头提得起之病，可称谈话头最彻底之著作，学者不可不读。

后世有谓宗门只重见地，不谈功夫。自话头之法行，禅和子终日趺坐，返闻默照，此种行履，与两晋六朝间之修禅观者何别？达摩单传直指之风，扫地尽矣！讵知法无优劣，契机者胜。唐宋以还，禅侣竞尚超越，一般知解宗徒，学得几句口头禅，到处呵佛骂祖，狂悖已甚。诸大宗师为环境所迫，又不能不展其身手。欲救斯弊，舍话头更有何法？此乃大善知识之慈悲方便，未可执为死法也。与话头稍后兴起者，尚有所谓禅净双修。此法创自永明延寿禅师，亦足以救禅门时弊。其意以参禅未透三关，仍不能免后有（来世转生）；念佛一生净土，可以永不退坠，达摩未来东土时，我国已有安般禅及五门禅，修是法者，得大受用。今于参禅之余，兼修念佛禅观，可谓千稳万当，管保前路无差，正如猛虎戴角。故自《四料简》（延寿禅师所作主张禅净双修的四条偈语）出，诸方响应，习成风尚，贤如中峰、楚石、天如、憨山、红螺诸大德，亦莫不先后效法，念念有词。至是禅宗祖庭，变作净土道场，诚可谓宗门未有之转变；然法眼一脉，为永明寿所从出，亦自此不传，又不能不废然长叹矣。

此外尚有闭关、结茅、拈颂、公案等事，此乃悟后行履，无关祖师作略，兹不备述。

四、三关与教理

《楞严经》云："理则顿悟，乘悟并销。事非顿除，因次第尽。"故宗门虽传直指，仍有三关之设，所以学人之悟境，即"初关"（亦名当面关）、"重关"（亦名金锁玄关）、"牢关"（亦名末后生死关）是也。然此三关之原理与教乘完全相通，试申述之：菩萨广修福慧，积纪累劫，由资粮位、加行位，证真见道，于一刹那间登初地时，即得根本智，断分别我执。此时根身器界，一齐消落，只见一片平沉，余无别物，适与宗门破初关时，山不见山、水不见水之境界相吻合。再进至第七地，由根本智生后得智，断分别法执，始知运水担柴，尽是自家日用，迎宾接客，全在佛事门中。此与宗门破重关时，山者山，水者水，十方虚空者十方虚空，自他平等，境智不二之境界相吻合。更进自八地乃至十地，断尽俱生二执，圆成一切种智，亲证诸法实相，善别众生根器，具无碍辩，说微妙法，正合宗门破牢关时，唤作大地山河也得，不唤作大地山河也得，照即是寂，寂即是照，提起放下，自在无碍，所作已办，出世为人之时节也。更以各宗之教理证之，修空慧（法性宗）即初关，证唯识（法相宗）即重关，悟圆觉（法界宗）即牢关。再以各家之教相证之，天台之三谛（真谛泯一切，相通初关；俗谛立一切，相通重关；道谛统一切，相通牢关），贤首之法界（理法界通初关，事理法界通重关，事事法界通牢关），性宗之三般若（正体般若通初关，方便般若通重关，究竟般若通牢关），相宗之三自性（了遍计执即空，通初关；明依他起即有，通重关；悟圆成实即空即有，离空离有，通牢关），亦一一与三关之理相合。法门无量，可以三关摄尽，所谓"佛法无多子"，信然。

五、对中国文化之影响

我国自汉武帝崇儒术、黜百家，两千年来之学术思想，一以儒教为中心而无所移易。然此系就表面观之，若细察其内面，士大夫之思想言动，未尝不随其他宗教学说而有所变迁。道教无论矣；其影响最深者，莫如印度佛教之传入，而尤以禅宗为特甚。宋时诸大儒如王安石、苏子瞻、黄山谷等，莫不精究禅理，公开崇佛，甚有帝王如唐宣宗、明太祖亦曾与佛教发生关系，而梁武帝、清世宗更成禅宗作家。西晋以来之政治教化，带有佛教色彩，甚为浓厚；独怪李翱、韩愈辈一面向禅师问道，一面对佛教攻击，实不知其意之所在也。李翱参药山俨曾呈偈述心得，有"云在青天水在瓶"之句。韩愈屡参大颠，亦云："弟子于侍者边得个入处。"二公对禅宗之仰慕可知。后李翱作《复性书》，主张止情复性，完全根据佛理；但却诋佛家之出家学戒为非中道。不知居家何不可学佛，五戒又何异五常？据此诋佛，诚所谓隔靴搔痒，不值识者一笑。

厥后程伊川、朱紫阳等推源《复性书》，发展而成宋代之理学，不能不谓儒学思想之一大进步；但其排佛之风，亦未稍息。考二程之学，得自周濂溪，濂溪固尝问道于僧寿涯，学禅于黄龙慧南，故其学术渊源，仍不能脱离佛教。朱子初承二程之学，旋复接近丹道，与二程颇多出入，后以尊德性与道问学之争，与陆象山形成水火，卒因互争虚伪之道统，而酿成剧烈之党祸，不智孰甚！王阳明遥承象山之学，倡知行合一，以致良知之说，更与禅宗心法相接近，惜其歧视僧侣之习气，未能稍改。梁任公评为既诬孔，且诬佛，而并以自诬，殊为得当。然诸子之立身行事，率能尚礼重气，笃践实履，其高风亮节，足堪法式。千百年来，中国民族著有崇尚节义，爱好和平普遍特性，未始非此儒表佛里之理学养成之。

六、结论

禅宗由印度传来中国后之发展情形，以及中国文化思想所受之影响，已略予说明；尚有不能已于言者，即今后中国佛教对世界之贡献，更不可忽。考佛教自印度向外发展之系统有三：佛灭后五百年间，南向锡兰及暹罗、缅甸发展者，属巴利文系，后世称为南传佛教。自六百年至一千年间，东向中国大陆及朝鲜、日本发展者，成为汉文系佛教。一千年后北向西藏及蒙古发展者，成为藏文系佛教。迄今已波及泰西各国，其来源多由巴利文译出，亦有从藏文、日本文转译者。故西方学者虽已日渐明了于其本有之耶稣教外，尚有更高尚、更圆满之释迦文佛教在。然其研究之对象，仅限于锡兰、中国西藏及日本；而锡兰所传者，乃偏重自了之小乘佛教，中国西藏与日本，虽均属大乘，然一则偏尚禁咒，一则普应通俗，均非佛教之整体。其能和合一切佛法，而以禅为骨干之中国佛教，彼西方学者尚多茫然。昔年太虚大师有鉴于此，曾有世界佛学苑之组织，彼时因未得政府之有力支持、教内之充分协助，以及经费之支绌，人才之缺乏，遂致仅得部分成功。今后应如何继续努力，将此世界惟一之佛法宝藏发掘整理，以转介于圜球各国，使一切人类，得以同被法雨，共饮甘露，以了此一大事因缘，是所望于当今诸大德！

写至此，适读本年（一九五六）三月二十六日"中央日报"东京专讯《禅宗思想再抬头》一则。其文曰："战后禅宗思想，流行于英、德。德国汉堡大学前校长古尔德博士，在日任教授有年，将禅宗经典多种译成德

106

文，介绍于其国人。其弟子贝隆博士，进一步领导青年，实行坐禅。其他德国各大学教授中，也认禅宗思想为东方哲学的精髓，倡导不遗余力。于弥补德国败降后思想的真空，收效甚巨。英国出席东京战犯审判的哈富雷检察官，返国后首创伦敦佛教协会，也在宣扬禅宗思想。日本原为受禅宗哲学影响最普遍的国家，其武士道精神，系以禅理脱胎而来。但战后思想混乱，遗忘了自己固有法宝，最近禅宗之风，反从欧洲一角吹回。由学习院大学、上智大学、明治大学、早稻田大学、教育大学、驹泽大学德、英、日三国教授，合组集体研究班，以曾于宋代留学我国的日本禅宗祖师道元所著的《正法眼藏》九十五卷，为研究教本，用科学方法，加以检讨。道元哲学，力主思想与行动，必须表里一致。"现代东西学者对禅宗之认识究竟如何，及其致力之道若何？吾人诚未敢遽作评议。但依此篇记载，已知现世向慕禅宗者正大有人在。经云，"功不唐捐"，吾知其必有成也；亦可觇禅宗今后在世界上之发展，殆成为必然之趋势。息灭拜物邪说，导正唯心边见于中道者，其在斯乎。

中国的禅宗

《菩提树》主编朱斐居士来函，请为该刊的十周年写篇关于禅宗的文章，《菩提树》的诞生，虽然只有十周年的历史，但其对佛教和人类的贡献，已有了辉煌的成就，所以，我对他的生日，不能没有一点表示；不过，因为时间上迫促和教务纷乘的关系，挂漏之处，是不能避免的。

一、祖师禅在中国

太虚大师说："中国佛教的特质在禅。"这句名言确为如实之论，因为自汉末以至南北朝盛行"安般禅"诸小乘禅定；其后安般禅尚未衰歇，即有"念佛禅"之念佛三昧，般舟三昧，观想念佛，达摩初传之"祖师禅"，天台之"止观禅"出现；再后，祖师禅与止观禅正盛之时，小乘禅定虽就式微，而法相宗之唯识观，贤首宗之一真法界观，密宗之陀罗尼观想诸大乘"教内禅"亦相继盛弘；直至近代，祖师禅既一枝独秀，而念佛诸禅观亦代有传人。佛教本来法门无量，多彩多姿，在我国尤多所升华，而以禅为拔乎其萃的连理并蒂之奇葩。推原其故，佛教禅定的由定发慧，大致与固有儒教"静则生明"的大学之道"静而后能安，安而后能虑，虑而后能得"有少分近似。我国意译梵语"禅那"（禅之具足音）为"静虑"者，其故当在此。达摩谓"震旦有大乘气象"者，其故或亦在此。后来所谓"天下丛林半属禅"者，其故或亦不外于此。

但是，祖师禅在我国虽凭藉固有现成之基础为增上缘，至以一宗对其他各宗得到平分天下之盛；其实，祖师禅的本质又与诸宗派禅观迥然不同，其下手即离文字相、言语相、心缘相，虽名为禅，实是六度中之般若度。其结果是"圆满菩提，归无所得"。"以无所得故，菩提萨埵依般若波罗蜜多故，心无挂碍，无挂碍故无有恐怖，远离颠倒梦想，究竟涅槃。三世诸佛依般若波罗蜜多故，得阿耨多罗三藐三菩提。"以此殊胜故，祖师禅在中国特能大弘，且独称禅宗，习惯上亦称"宗下"。其余宗派则总称"教下"，虽亦各修禅观，而不见称为禅也。又以禅宗修法，离言绝虑故，意译静虑之名渐被忘失，依"此土所无不翻"之例，很自然地仍采梵音名为禅那。以须简别四禅八定之世间禅定故，又很自然地简名为禅，而不以禅定为名。凡此，又为中国佛教特质之尤为特殊之点。换言之，中国祖师禅非仅保守西土二十八代祖祖相传之本素面目，而是就其灯焰更开放了异彩奇光。

关于禅之种类，唐代圭峰宗密禅师所著《禅源诸诠集都序》云："三乘学人，欲求圣道，必须修禅，离此无门，离此无路。至于念佛求生净土，亦须修十六禅观及念佛三昧、般舟三昧。又真性则不垢不净，凡圣无差；禅则有浅有深，阶级殊等。谓带异计，欣上厌下而修者，是外道禅。正信因果，亦以欣厌而修者，是凡夫禅。悟我空偏真之理而修者，是小乘禅。悟我法二空所显真理而修者，是大乘禅。若顿悟自心本来清净，元无烦恼；无漏智性，本自具足；此心即佛，毕竟无异；依此而修者，是最上乘禅，亦名如来清净禅，亦名一行三昧，亦名真如三昧。此是一切三昧根本。若能念念修习，自然渐得百千三昧。达摩门下展转相传者，是此禅也。达摩未到，古来诸家所解，皆是前四禅八定。诸高僧修之，皆得功用。天台、南岳令依三谛之理，修三止三观；教义虽圆妙，然其趣入门户次第，亦只是前之诸禅行相；唯达摩所传，顿同佛体，迥异诸门。"

上圭峰大师所判别禅之种类已是前人所未有；然后来禅德对之尚有修正补充之处。其故：一以其所谓如来清净禅之解说，犹堕滞于理趣，失去圆陀陀、光灼灼以无意味为意味之直观禅味；一则以其所谓自然渐得百千三昧，有失顿悟成佛之达摩宗旨也。于是以圭峰所说之最上乘禅为"教内禅"，即名"如来禅"；另立"教外禅"，即名"祖师禅"，亦名"出世间上上禅"。

如来禅与祖师禅之区分，具见于仰山慧寂之言语。仰山与香严智闲同在沩山灵祐门下，一日，香严曰："去年贫，未是贫；今年贫，始是贫。去年贫，犹有卓锥之地；今年贫，锥也无。"仰山曰："如来禅许吾弟会，祖师禅未梦见在。"又香严曰："我有一机，瞬目视伊。若人不会，别唤沙弥。"仰山告师沩山曰："且喜闲师弟会祖师禅。"此无他，香严前言落阶级次第，后则否耳。

本来祖师禅对于名相不加重视，所以既非禅定度，今犹名禅；但上面所述中国种种禅名之演变分别，皆非无因而生，而是具有与禅法相关之意义，却非无关宏旨。

祖师禅法摒弃文字，不研经教，并非抹煞文字与经教的价值，万不可以为禅宗的大德说"三藏十二部是老僧的揩疮纸"，就以为禅宗和经教是脱了节。其实禅与教只是修行上下手方便的不同，接引学人作为法之微异，而彼此所契悟之理终无二致。禅宗离开了白纸黑字媒介，其作略又词简而明，且与诸经教义学，若合符节。此《楞严》所谓"方便有多门，归元无二路"也，实不容误会！现举一则公案，亦可窥见禅宗和经教关系之一斑。

宋太尉陈良弼宴客，并供养圜悟、法真、慈受诸大禅师及当代住京之十大法师。有善华严者，为贤首宗法师中的佼佼者，极力发扬其排斥禅宗言论，当时告众曰："我佛设教由渐而入顿，由小乘进入大乘，扫除空有，经历多劫，庄严万德，然后才能成佛。常闻现代禅宗门庭，仅仗一喝，一刹那间，即得转凡成圣，和佛陀的言教，大相径庭。现请座诸大禅德，当场一试。如果一喝，而能入我贤首五教者，则为正说；否则，便是魔道。"

是时净因继成禅师在座，遂谓彼曰："这个问题，我可以使你明白，不需要三大禅师劳心。现依据贵宗判教来说：小教者，有义也。始教者，空义也。终教者，不有不空义也。顿教者，即有即空义也。圆教者，不有而有、不空而空义也。现我一喝，可入五教。"讲毕，遂震声一喝。问善华严者曰："闻么?"答曰："闻。"师曰："此是小教。"又问曰："闻么?"答曰："不闻。"师曰："此属始教。"又曰："刚才说有，现在说无，现在的无，因有故无，不是绝对无。如果说有，却又是无，是'不有不无'之终教。我一喝之时，有非真有，因无而有；无喝之时，无非真无，因有故无。此乃即有即无，即是顿教。刚才我的一喝，不作不喝用，不落有无，情解双忘，说有，纤尘不立；说无，横遍虚空。此一喝，可入百千万亿喝，百千万亿喝，不离此一喝，此是圆教。"净因禅师口若悬河，滔滔不绝，明明朗朗契入华严五教，在座缁素，大加喝彩；善华严者更佩服得五体投地，体会禅宗的智慧，是自然的活泼的流露，不加思索撬摸。

这段公案，虽类似戏剧式，然显示禅宗随手拈来，却和经论吻合无间。又此为禅师应用《楞严经》闻性不灭

113

之教理，开出契入贤首五教之方便。其应机之作略固无不当，惟像这样始终不离经教，如语禅修本质，又属多余的啰嗦了。笔者此篇所说亦多此失，固不足为古德病也。

二、参禅与话头

自圭峰大师禅教一肩，提倡禅教合一，禅宗"蓦直去"的路，遂微生迂蹉；加之去圣已遥，行人根钝，禅德欲回旧路，别无方便，于是乎产生"参话头"。今时一谈禅宗，大家就会联想到"参话头"上，以为禅宗离不开话头，话头就是禅宗。此说虽不能予以绝对的否认，但亦非绝对正确。达摩禅初入中国，并没有教人参话头、起疑情，只因当时行人根利，稍一指点，则能彻见本性，体悟本来，所谓"不假方便，自得心开"也。法灯五传至慧能大师，禅宗门庭大放异彩，亦是言下大悟，并无参话头之说。有人以为他开示惠明那几句话，是后世话头的开端！"不思善，不思恶，正恁么时，那个是明上座的本来面目？"有类似"念佛是谁"、"谁拖死尸"、"娘未生前面目"话头；但当时六祖却没当作话头用，不过是"直指"的另一方便而已。嗣后众生根浅，不得立地悟彻本源，直指失效，相传禅宗祖师如永明寿、大慧杲、万峰蔚辈，遂不得改弦易辙，设立话头，以一句毫无把柄、毫无义味的话，令人发起疑情，截断现业流识，期于一旦打开黑漆桶子，敞启解脱大门。

三、疑情的生起和运用

"大疑大悟，小疑小悟"，差不多成为宗门的惯话，亦可证明疑情在参禅门庭的重要性。可是起疑情却是初学人的一大难关，不少人费了九牛二虎之力，疑情始终起不来，使他学禅的信念和希望受到了严重的打击。然而，出世法的修习，有时亦不离世间法的原则，就以物理学中力的功能，作为学禅的参考，力的功能发生，有三种要素，即是大小、方向、作用点。这三种要素，倘不能运用得当，就不能生起功能了。禅人疑情的生起，亦须配合各种生起条件；否则，哪怕历经多劫，仍是"缘木求鱼"。

起疑情，应该具备什么条件呢？现在简单地与大家介绍：

一、无我的观念的确立。众生最大的妄执，执身为我，如参"念佛是谁"或"父母未生前的本来面目"，这种无我观念，就不能不建立；否则，念念有个我在，疑情定起不来。如何方能把这种观念建立起来？请参考第一篇《学禅方便谭》，限于篇幅，于此恕不赘述。

二、起疑情的方法，在用功的过程中，如果不得其法，终难如其所望。学禅行人，往往深感禅宗不易入手，对方法的运用上是否恰当，是一个很重要的关键。究竟怎样才是正确的运用呢？现在就用一个最普遍采用的话头来作例子。禅宗的话头，没有固定的方式，而由禅德相机给予，所以话头上亦如众生的心相，千差万别，为数甚多。最普通的有"如何是祖师西来大意""如何是父母未生前的本来面目""万法归一，一归何处""谁教你拖这死尸来""念佛是谁"……惟近代禅门，多参"念佛是谁"。现在，就从这个最普遍的话头，说明用功方法。学人先端正姿势，回光返照，使内心妄想，由粗变细，再念佛数声，然后参此能念佛的是谁？念佛的是什么东西？因为吾人先有建立此身非我的观念在先，即知此能念佛者非此四大假合之身。然既念佛非身，到底又是什么东西呢？自然会起疑情。倘或疑情未起，还是照顾话头，寂寂惺惺地问下去，久之必起。又或疑情初起，必须绵绵密密地疑下去，久之可成大疑，那便真疑现前。但绝对不许对话头有了答案；一有答案，疑情之门闭塞。疑情愈大，精神愈集中，由一个话头生起一团疑情，引入定境而愈疑愈深，充塞两间，贯通三世，尽是此一疑情，乃至不疑而疑，那才是自己与疑情打成一片，而真疑不失。初用功的人，疑情初起，尚非真疑现前；真疑起了，亦尚未打成一片；此时忽疑忽散，时起时断。在其断时散时必须提起话头，回复疑情，久之，亦不难真疑现前；再假以时日，可望打成一片，直待磕着碰着，桶底脱落了。

三、时间的重要。在世间法上，无论做什么事情，必须要有相当的忍耐性，才能获致成绩的表现；学出世间法，更应具有高度的坚韧性，以方法来配合相当的时

间，才能有个入处，直至大死一番处，打个转身，忽然
会见娘生面。此时是否就算破了本参话头，多少还有问
题，然至少已是大悟境界，可断言矣。一般行人，在修
学的过程中，经过了一段时间后，觉得没有消息，遂认
为不是学禅根机，自甘放弃，这是缺乏殷重常恒心，非
常可惜！此应自加检讨，究竟是方法上的问题？抑或是
时间上的问题？如果时间上尚未成熟，遽要讨个消息，
那就将使你在门外徘徊，永远不会有消息飞来。

四、三关和证悟境界

宗门将参禅证悟境界分为三关——三个阶段。三关
之说，何时开始，公案上却无详确记载。宋代禅德多运
用三句问题，反复探测学人境界。宗门称为三关，最显
明的为黄龙慧南禅师，他常问学人："上座生缘在何
处？"学人未遑即答。又云："我手何似佛手？"接着又
云："我脚何似驴脚？"使学人如堕五里雾中，咸认为龙
祖的三大难关。后人竟以三关为三段证悟境界，命名初
关（本参）、重关、牢关。又说有的行人一悟即三关透
澈，有的一次透破二关，更多的是继续地参，逐一地破。
就此可知三关并非固定的阶段。又有人竟以数理而相配
合，谓破初关得人空，破重关得法空，破牢关证空空。
这种说法，后人并无异议，究是赞同抑或是不予理睬，
殆难言矣。要之，凡是证悟的境界，当非笔墨和言论所
能描出，古德云："如人饮水，冷暖自知。"

117

五、境界的发生与处置

学禅行人，应注意的是魔境，古德谆谆告诫着："宁可千日不悟，不可一日着魔。"着了魔，不但前功尽弃，且可妨碍生理和心理的健康，演成莫大的悲剧，进而影响到群众对禅门一法起了"敬而远之"的心理，不敢尝试，更是罪过。

学禅是否能够着魔？学深了，实在有种种境界现前，但没有像人们想象的那么危险和可怕。倘能处理得当，则可"化干戈为玉帛"，增加一场经验，养成雄厚的道力。参禅中的魔境，虽然千差万别，形形色色，不外分为外魔和内魔，但不管是外魔或内魔，均不外唯心所现。魔境的现前，亦因人而异，唯应付的方法，勿恐怖，勿慌张，提起功夫消除心念，无论顺境逆境，万勿执著，执则成病。现在举参禅最易发生之魔境，简略介绍如下：

（一）定魔：有时能一坐五六日或十余日，不需饮食，而面色红润。

（二）慧魔：心地灵明，看书一目十行，或出口成章，或对过去或未来或现在之事物，有能明了或看见。

（三）喜魔：心身愉快，乐不可支，或歌舞于市，目无众生。

（四）慈魔：顿觉众生大苦，慈悲满怀，观众垂泪。

（五）神通魔：眼见大千世界了如指掌或遥闻诸佛说法如在耳边。

魔境的发生，并不一致，学禅行人，请研究《楞严经》，即可明其大概。

六、结　论

中国的禅宗不仅为南传佛教所望尘莫及，据灯史记载，在我国成就之人亦称最多。现在欧美各国佛法的传入，极受当地人士的欢迎，尤其是修禅定之风最盛。但据调查所得，欧洲一带所学的是南传禅法，多采用数息入定法；美国虽然有临济禅和曹洞禅，为日人传入，但闻早非我国临济、曹洞两家宗风。笔者诚恳希望我国缁素，对这一殊胜法门，多多研习，树起宗门大纛，并发展到海外去，所以不惮辞费，想将中国禅宗之所以为中国禅宗者，向读者介绍一个轮廓。

要而论之，禅宗肇始于《大梵天王问佛决疑经》所载："世尊曰：吾有正法眼藏，涅槃妙心，实相无相，微妙法门，不立文字，教外别传，付嘱摩诃迦叶。"印度第二十八代祖达摩东来，一花开五叶至六祖能大师而大衍大扇。我国唐宋时代，祖庭鼎盛，禅德踵兴，皆以活言句、奇动作，逗机接人，或棒或喝，立令行者情断眼明，所以用不着一切经教，免落知解而塞自悟之门；亦不立长坐禅定之功课，无有一法可当情，以免执有定法。此为中国禅宗盛时之独特宗风。后以学人根钝，乃开设参话头之方便，教人离心、意、识参。话头本质亦为活言句，即此一话头便直送成佛。自明代多参"念佛是谁"，直至现代如是，原是欲以"念佛是谁"一活句而普应群机，浸于不知不觉间，因参借了念佛方便而微失其独特祖风。于是方便微异，面目渐非，禅法乃成为修净之方便，纯然依修禅成就之人遂少。推之禅密双修，禅教合一等亦复如是，故今谈中国禅宗，不禁感慨系之！

我佛为应众生种种差别之机，开示许多法门。无论任何法门，契机便是妙法，喻如对症便是良药，所以法法平等。又所以佛说每一经教皆赞为无上妙法，依教奉行，便有无量功德，虽小乘经典亦作如是说，盖就契机者而言也。今笔者写的是中国的禅宗，当然应彰其殊胜，亦犹写到别宗或某一经或某一论亦必各以殊胜许之也。弘法者"广集法药是为救人的"，对诸病人，开诸药方，原是至当的，以闻法大众中机不同故。可是，对求诊之某一病人却不可教令同时服下多种性能不相调和之药，以致其中对症药效力减低。否则，到病不得好时，大家不说错在诸药杂投，反怪医药不良，亦太冤矣！说来真是可怜！我国好好的禅宗法药，宋后竟被多种所谓"双修"，一种所谓"合一"，弄得失去"君"药主位，沦为"臣位佐使"，遂难得一出头地了。今以中国禅宗为题，不得不唯望学佛求法者，确信"条条大路通罗马"，但须选择自己合适的一条路一直行去，必能到达目的地；既不可左顾右盼在路上蜿蜒徘徊，踟蹰不进；更不可痴想一身二足同时踏着两条以上的路前进，须知那是不可能之事，也就到不了罗马。所以修学佛法必须一门深入，精进不懈，尤其禅宗必须把握其特色，凭借自力，一空依傍，特立独行，直契正法眼藏，涅槃妙心，所谓"妙高峰上从来不许商量"，哪许你扶篱摸壁！末了，愿诸行者"但信佛无诳，莲花从口出"；不要"为天下老和尚舌头所瞒"！对笔者当亦不得例外。上来所说皆是葛藤，应作如是观。

敬辑尊宿警策

黄龙死心新禅师小参

诸上座！人身难得，佛法难闻，此身不向今生度，更向何生度此身？诸位要参禅么？须要放下著。放下个什么？放下个四大五蕴，放下无量劫来许多业识，向自己脚跟下推穷，看是什么道理？推来推去，忽然心华发明，照十方刹，可谓得之于心，应之于手，便能变大地作黄金，搅长河为酥酪，岂不畅快平生！莫只管在册子上，念言念语，讨道讨禅，禅道不在册子上，纵饶念得一大藏教，诸子百家，也只是闲言语，临死之时，总用不着。

莲池大师评曰："不可见恁么说，便谤经毁法，盖此语为着文字而不修行者戒也，非为不识一丁者说也。"

东山演禅师徒行脚训

须将生死二字，贴在额头上，讨取个分晓。如只随群作队，打哄过日，他时阎王老子打算饭钱，莫道我不曾说与你来。若是做功夫，须时时检点、刻刻提撕，哪里是得力处、哪里是不得力处，哪里是打失处、哪里是不打失处。有一等人，才上蒲团，便打瞌睡，及至醒来，胡思乱想；才下蒲团，便说杂话，如此办道，直至弥勒下生，也未得入手。须是勇猛精进，提个话头，昼参夜参……定有到家时节。

佛迹颐庵真禅师普说

信有十分，疑有十分；疑有十分，悟有十分。可将平生所见所闻，恶知恶解，奇言妙句，禅道佛法，贡高我慢等心，彻底倾泻。可就未明了的公案上，立定脚跟，竖起脊梁，无分昼夜地参去，直得东西不辨，南北不分，如有气的死人相似……忽然打破髑髅，原来不从他得，那时岂不庆快平生者哉？

天目高峰妙禅师示众

但自坚凝正念，以悟为则。当此之时，有八万四千魔军，在汝六根门头伺候，一切奇异善恶等事，随汝心现。汝若瞥起毫厘着心，便堕他圈套，被他作主，受他指挥，口说魔话，身行魔事；般若正因，从兹永绝；菩提种子，不复生芽。但莫起心，如个守尸鬼子，守来守去，疑团子㪍然爆地一声，管教你惊天动地！

毒峰禅师偈

沉沉寂寂绝施为，触着无端吼似雷；

动地一声消息尽，髑髅粉碎梦初回。

师在淯溪进关，不设卧榻，惟置一凳，以悟为则。一夕昏睡，不觉夜半，乃去凳昼夜立行，久又倚壁睡去，从此誓不傍壁，辽空而行，不意身力疲劳，睡魔愈重。常号泣佛前，百计逼拶，遂得功夫日进。一日闻钟声，忽不自由，乃说上偈。

天目中峰本禅师示众

看话头，做工夫，最是立脚稳当，悟处亲切。纵此生不悟，但信心不退，不隔一生两生，更无不获开悟者。或三十年二十年，未即开悟，不须别求方便，但心不异缘，意绝诸妄，孜孜不舍，只向所参话头上，立定脚跟，拼取生与同生，死与同死，谁管三生五生，十生百生，若不彻悟，决定不休。有此正因，不患大事不了明也。

天如则禅师普说

生不知来处谓生大，死不知去处谓死大……若论生死业根，即今一念随声逐色，使你七颠八倒者便是。由是佛祖运大慈悲，或教汝参禅，或教汝念佛，令汝扫除妄念，认取本来面目，做个洒洒落落的大解脱汉。而今不获灵验者，有三种病：第一，不遇真善知识指示。第

125

二，不能痛将生死大事为念，悠悠漾漾，不觉打在无事甲里。第三，不能将世间虚名浮利放下，境风扇动，和身吹倒，杂念纷飞，无处下手。当信祖师一句话头，如铁扫帚一般。转扫转多，转多转扫，扫不得，拼命扫，忽然扫破太虚空，万别千差一贯通。诸禅德！努力今生须了却，莫教永劫受余殃。

仰山古梅友禅师示众

须发勇猛心、立决定志，将平生悟得的、学得的一切佛法，四六文章，语言三昧，一扫扫向大海洋里，更莫举著。把八万四千微细念头，一坐坐断。却将本参话头，一提提起，疑来疑去，挼来挼去，凝定身心，讨个分晓，以悟为则。不可向公案上卜度，经书上寻觅，直须卒地断，爆地折，乃始到家。若是话头提不起，连举三遍，便觉有力。若身力疲倦，心识恖懆，却轻轻下地，打一转，再上蒲团，将本参话头如前挨挼。如才上蒲团，便打瞌睡，开得眼来，胡思乱想，转身下地，三三两两，交头接耳，大语细话，记取一肚皮语录经书，逞能舌辩，如此用心，腊月三十日到来，从用不着。

古拙禅师示众

诸大德！何不起大精进，对三宝前，深发重愿！若生死不明，祖关不透，誓不下山……切莫这边经冬，那边过夏，今日前进，明日后退，久久摸索不着，便道般若无灵验，却向外边记着一肚如臭糟瓶相似的公案典章，闻者未免恶心呕吐，直到弥勒下生，有何干涉？苦哉！

般若和尚示众

有等人，才做工夫，心地清净，但见境物现前，便成四句禅语，将谓是大了当人，口快舌便，误了一生，三寸气消，将何保任？佛子若欲出离，参须真参，悟须实悟。

楚山琦禅师解制

诸大德！九十日中，还曾证悟也无？如其未悟，则此一冬又是虚丧了也。若是本色道流，以十方法界为个圆觉期，莫论长期短期，百日千日，结制解制，但以举起话头为始。若一年不悟参一年，十年不悟参十年，二十年不悟参二十年，尽平生不悟，决定不移此志，直须要见个真实究竟处，方是放参之日也。

天奇和尚示众

汝等从今发决定心，昼三夜三，举定本参，看他是个什么道理，务要讨个分晓，日久岁深，不拣昏沉；昏沉自退，不除散乱；散乱自绝，纯一无杂；心念不生，忽然会得；如夜而醒，复看从前，俱是虚妄，识得当体，本来现成。

古音琴禅师示众

坐中所见善恶境界，皆由坐中不起观察，不正思惟。但只瞑目静坐，心不精彩，意顺境流，半梦半醒，或贪着静境为乐，致见种种境界。夫正做功夫者，当睡便睡，一觉醒来，便抖擞精神，咬住牙关，捏紧拳头，直看话头落在何处，切莫随昏随沉，丝毫外境不可睬着。

鹅湖大义禅师垂诫

莫只忘形与死心，此个难医病最深；
直须提起吹毛剑，要剖西来第一义。
瞎却眼兮剔起眉，反复看渠渠是谁？
若人静坐不用功，何年及第悟心空？

赵州谂禅师示众

汝但究理，坐看三二十年，若不会，截老僧头去！老僧四十年不杂用心，除二时粥饭是杂用心处。

铁山瑷禅师公案

铁山从前参高峰妙时，功夫已能成片，后参雪严和尚，岩上堂云："兄弟家久在蒲团瞌睡，须下地走一遭，冷水盥面，洗开两眼，再上蒲团竖起脊梁，单提话头，如是用功，七日决定悟去。此是山僧四十年前之事。"（后又云）"绍隆佛祖向上事，脑后依然欠一槌。"铁山

128

不明此意，从此便参"如何欠一槌"。后来到蒙山处，仍不识这个"欠"字在何处，继续参此公案。后来时时有悟入，步步有剥落，及至愈剥愈光，越剥越明……一日定中，忽然触着这个"欠"字，身心豁然，彻骨彻髓……忍禁不住，跳下地来，擒住蒙山云："我还欠个什么在？"蒙山接连打他三掌，铁山顶礼三拜。蒙山说："铁山这一着子，几年来，今日方了。"

彻庸禅师说

"上前一步，不如退后一步；上前一步死，退后一步亡；只如不进不退，未免死水里浸杀。诸仁者！作么生，是出身之路？"

古人在用功处说

"前面有虎，后面有狼，左是深潭，右为悬崖。行人至此，看如何透得此关？"

图书在版编目（CIP）数据

学禅方便谭／白圣大师 著 . —北京：东方出版社，2014. 2
（佛学入门四书）
ISBN 978-7-5060-7316- 5

Ⅰ.①学… Ⅱ.①白… Ⅲ.①禅宗-基本知识 Ⅳ.①B946. 5

中国版本图书馆 CIP 数据核字（2014）第 220588 号

学禅方便谭

（XUECHAN FANGBIANTAN）

作　　者：白圣大师
责任编辑：贺　方　王　萌
出　　版：东方出版社
发　　行：人民东方出版传媒有限公司
地　　址：北京市西城区北三环中路 6 号
邮　　编：100120
印　　刷：北京市大兴县新魏印刷厂
版　　次：2014 年 11 月第 1 版
印　　次：2021 年 5 月第 5 次印刷
开　　本：880 毫米×1230 毫米　　1/32
印　　张：4. 25
字　　数：93 千字
书　　号：ISBN 978-7-5060-7316- 5
定　　价：19. 80 元
发行电话：(010) 85924663　　85924644　　85924641